# LA CUISINE DES CHÂTEAUX

## DU

# *Périgord*

Gilles du Pontavice

Bleuzen du Pontavice

Collection dirigée par
BLEUZEN DU PONTAVICE

Photographies
CLAUDE HERLÉDAN

**EDITIONS OUEST-FRANCE**
13, rue du Breil, Rennes

Après la Bretagne aimée, après la vallée de la Loire des souverains valois, après la douce Normandie paysanne et maritime, après la fière Bourgogne à la noblesse de terre, notre « Cuisine des châteaux » fait escale en Périgord. Il nous attendait, avec ses mille et un châteaux et encore plus de recettes de cuisine. L'homme préhistorique ne s'y était pas trompé, qui en fit sa villégiature préférée. Bien plus tard, malgré les guerres incessantes qui ravagèrent un pays disputé entre le Français et l'Anglais, on construisit de grands et beaux châteaux où l'on faisait bonne chère entre deux combats.

Nous avons découvert une grande cuisine, le foie gras et la truffe, bien évidemment, mais aussi un soin apporté à la qualité des produits – rien de plus actuel – et des tours de main ancestraux. Nous vous rapportons la recette de la purée, celle des châtaignes grillées et celle des sardines à l'huile : ce n'est pas une blague mais de la vraie cuisine de châteaux, à mille lieux des tristes repas citadins. Nous vous rapportons aussi, enfin, la recette emblématique de la grande cuisine du Périgord, et peut-être de la France : le lièvre à la Royale.

La nature est partout présente en Périgord. L'hiver, elle éclate dans les bocaux que l'on ouvre. Le

*Nature morte dans la salle à manger de Montréal.*

canard est une sorte de cochon à deux pattes, où tout est bon. La cuisine est une cuisine de femmes, de fermes, de proximité. Une visite appelle un verre, et un verre appelle un bocal de quelque chose, confit, foie gras ou galantine de dinde selon Danièle Mazet-Delpeuch, dont voici la recette : « Dépouillez une dinde. Enroulez la chair autour d'un foie gras. Mettez en bocal, stérilisez deux heures et attendez deux ans. »

N'est-ce pas une merveille de simplicité ? Bien sûr, la dinde doit avoir couru dans les bois gorgés de châtaignes et n'être pas une pauvre chose bourrée de soja dans un hangar, idem pour le foie gras… Notons-le : une cuisine de femmes, souvent économe et sûre d'elle (s). Ainsi le Périgord, pays parfois rude et jamais très riche, a-t-il enfermé sous verre le meilleur de chaque saison, son trésor de guerre, pour le restituer en partage.

Aussi, nous avons été séduits par la gentillesse des châtelains. Certains sont récents et prennent déjà l'accent. D'autres sont ici depuis dix, quinze ou vingt générations, gentilshommes périgourdins les pieds dans la terre, qui recueillaient en guise de fortune les

*Les bonnes conserves de Richemont,*
*sur le potager de la cuisine.*

Le château de Commarque.

particules éteintes. Peu importe, la terre et la pierre ne se quittent jamais, même si souvent ses tenants l'ont quitté pour les ors de la capitale : parmi les Rastignac montés à Paris ou Versailles, beaucoup ont fait de belles carrières, certains oubliant en route leur origine. Beaucoup sont revenus, parfois très longtemps après. Depuis un siècle, on revient au pays si on l'avait quitté. À notre connaissance, c'est une chose unique en France, et initiée par des élus républicains. Il faut reconnaître que l'*Annuaire des Châteaux*, en 1900, recensait près de huit cents châteaux en Dordogne : un record !

Si nous ne sommes pas allés à Commarque, c'est que ce château est depuis longtemps en ruine. Ce fut pourtant l'une de nos plus belles étapes que cette grande ruine de donjon au vocabulai-

re guerrier, et le village en dessous, et les grottes anciennes tout en dessous, dans un site grandiose, faisant face depuis cinq siècles à une forteresse similaire. Le château de Commarque est en restauration, après son rachat par le comte de Commarque. Pourquoi ? Pour sauver ces vieilles pierres, et parce qu'il le faut. Et pour montrer que les Périgourdins tiennent contre guerres et modes – qui sont leurs vents et marées d'ici – et sont attachés à leur parler. Ici, par la grâce de la phonétique régionale, l'agneau est un *fedou*, le canard est *canou*, *canetou*, l'oie est *auco*, *piso*, *pisi*, *iouiou*, le foie est *soupeno*, la truffe est *trufo*, le sanglier est *porc-singlar*, la dinde est *dindouleto*, la bécasse est *froucg-hado*, et tout cela revient à la *cousiniero* (la cuisinière) qui, dans sa *cousino* (cuisine), en fait de la bonne cuisine du Périgord :

« Lorsque cuidois achever, je commençois. »

En 1570, Jean II de Losse fit graver cette maxime sur le châtelet du château de Losse qu'il reconstruisait. Elle peut s'appliquer à toutes les vieilles pierres du Périgord : un château est un ouvrage permanent. Ses propriétaires en sont les dépositaires pour un temps, ils s'attachent à le conserver et à le transmettre aux générations futures. Des mille et un châteaux du Périgord, beaucoup n'ont pas eu la chance d'être soutenus, voire reconstruits ; ceux que nous avons visités ont survécu au temps. Ces châteaux ancrés dans la roche savent que leurs propriétaires n'en sont que les dépositaires, les conservateurs. Ils survivent aux épreuves, et survivront sans doute à l'avenir. Et, comme promis, voici la vraie recette du lièvre à la

Royale : une recette mythique ; on la dit très difficile, alors qu'elle n'est que précise, telle que nous l'avons recueillie des carnets d'Isabelle de Gérard du Barry, de l'hôtel de Gérard de Sarlat.

## LIÈVRE À LA ROYALE

« Un lièvre mâle de préférence de 5 à 6 livres, ayant perdu très peu de sang, une daubière, en cuivre, bien étamée, hauteur 20 cm, longueur 35 cm, largeur 20 cm, couverture hermétique.

Première opération

– À 12 h : le lièvre sera dépouillé et vidé ; le cœur, le foie et les poumons seront mis à part ; le sang sera très soigneusement conservé, tous les ingrédients indiqués successivement ci-dessous, au fur et à mesure de leur emploi, seront préparés.

– À 12 h 30 : après avoir enduit de bonne graisse d'oie le fond et les parois de la daubière, vous étendez un lit de bardes de lard sur lequel – après avoir amputé l'avant main au ras des épaules, de telle sorte qu'il ne reste que le râble très allongé et les cuisses –, vous placez le lièvre dans toute sa longueur et sur le dos. Vous couvrez ensuite l'animal de nouvelles bardes de lard, étant entendu que toutes les bardes du dessus et du dessous réunies doivent atteindre le poids de 250 g.

Vous ajoutez alors :

une carotte de taille ordinaire coupée en quatre ;

quatre oignons de moyenne grosseur – tenant le milieu entre un œuf de poule et un œuf de pigeon – dans chacun desquels vous aurez piqué un clou de girofle…

vingt gousses d'ail ;

quarante gousses d'échalote ;

un bouquet garni composé de : une feuille de laurier, une brindille de thym, quelques feuilles de persil ;

25 cl de bon vinaigre de vin rouge ;

une bouteille et demie de vin rouge, ayant deux ans de bouteille (vin de Domme d'un bon cru) ; sel et poivre en quantité suffisante.

– À 1 h : votre daubière étant ainsi garnie, vous la mettrez sur le feu et, après avoir placé sur le couvercle trois ou quatre morceaux de charbon incandescents, vous réglez votre chauffage de façon à soumettre votre lièvre à un feu doux, régulier et continu pendant trois heures.

Deuxième opération :

Une fois la daubière sur le feu, et tandis que le lièvre subit la première cuisson, préparez tous les éléments de la seconde opération.

Hachez d'abord très menu et en prenant successivement chaque partie l'une après l'autre :

125 g de lard ;

le cœur, le foie et les poumons du lièvre ;

10 gousses d'ail ;

20 gousses d'échalote.

Chacun de ces quatre articles doit être haché à part et très menu, surtout l'ail et les échalotes, dont le hachis doit être si fin qu'il atteigne d'aussi près que possible l'état moléculaire. C'est une des conditions premières de la réussite de ce plat, où les multiples et divers parfums et arômes doivent être fondus en un tout si harmonieux qu'aucun ne prédomine et que rien ne puisse déceler leur origine particulière.

Après avoir haché ainsi séparément le lard, les viscères du lièvre, l'ail, les échalotes, on les réunit en un hachis général, de façon à obtenir un mélange absolument parfait.

– À 16 h : vous retirez la daubière, vous enlevez délicatement le lièvre que vous déposez sur un

plat. Vous le débarrassez soigneusement de tous les débris de lard, carottes, oignons, ail, échalotes – et vous remettez ces débris dans la daubière. Vous y videz alors tout ce que contient cette dernière dans une passoire placée au-dessus d'un grand plat creux – et vous en extrayez tout le suc au moyen d'un petit pilon de bois. Lorsque ce coulis est obtenu, vous y joignez le hachis préparé comme il est dit ci-dessus et, pour bien étendre et délayer le tout, vous y ajoutez une demi-bouteille de vin chaud, de la même origine que celui au milieu duquel a déjà cuit le lièvre.

– À 16 h 30 : vous remettez alors cette nouvelle mixture dans la daubière ; vous y déposer le lièvre avec tous les os des cuisses ou autres qui auraient pu se détacher pendant l'opération, et vous replacerez la daubière sur un feu doux et continu dessus et dessous.

– À 18 h : vous procédez à un premier dégraissage, l'excès de graisse provenant du lard vous empêchant de juger de l'état d'avancement de votre sauce. Votre œuvre ne sera, en effet, achevée que lorsque la sauce sera suffisamment liée pour offrir une consistance approchant de celle d'une purée de pommes. Pas tout à fait cependant car, à la vouloir trop consistante, on finirait par tellement la réduire qu'il n'en resterait plus suffisamment pour humecter la chair naturellement très sèche du lièvre. Il y a, du reste, à faire une dernière opération qui, une fois la liaison de la sauce en bonne voie, la mettra définitivement et très rapidement au point ; il s'agit de l'addition du sang du lièvre, qui non seulement activera la liaison de la sauce mais lui donnera en même temps une belle coloration brune d'autant plus appétissante qu'elle sera plus foncée. Cette addition du sang ne doit pas se faire plus de un quart d'heure avant de servir et elle doit être précédée d'un second dégraissage. On fouettera d'abord le sang, de manière, que si quelques parties sont caillées, on les rende de nouveau tout à fait liquides. On le versera alors sur la sauce, en ayant soin d'imprimer à la daubière, de bas en haut et droite à gauche, un mouvement de va-et-vient qui le fera pénétrer uniformément dans tous les coins de la casserole.

Goûtez, ajoutez poivre et sel s'il y a lieu et, un quart d'heure après, servez.

Pour cela, sortez de la daubière votre lièvre, dont la forme est alors plus ou moins altérée. Vous placez au milieu du plat tout ce qui est encore à l'état de chair, les os complètement dénudés, désormais inutiles, étant jetés de côté – et autour de cette chair de lièvre en compote, vous mettrez pour toute garniture l'admirable sauce qui vous vaudra, si la reconnaissance n'est pas un vain mot, l'éternelle gratitude de vos convives.

Pour servir ce lièvre, l'emploi du couteau serait un sacrilège ; la cuillère suffit complètement.

On peut démêler le sang en y ajoutant 2 ou 3 petits verres d'armagnac de Marcotte.

Recette de père Antoine, copiée par Papa. »

N. B. : Le vignoble de Domme, au sud de Sarlat, est ressorti depuis peu d'une longue déshérence.

*Deux jarres de production régionale : celle de gauche est un miellier, celle de droite une jarre à huile à Jumilhac-le-Grand.*

# CASTELNAUD

## Une forteresse culinaire

*Le léopard des seigneurs de Castelnaud,*
*clé de voûte de la grande salle du donjon.*

*Tarte aux potirons. Comme une forteresse culinaire,*
*elle abrite derrière ses créneaux toute une maisonnée épicée.*

*L*'histoire de Castelnaud est une incroyable succession de dates de batailles, de destructions et de reconstructions, jusqu'à la remise en état spectaculaire qui, depuis trente ans, a fait d'une ruine arasée l'un des plus beaux témoignages de la vie médiévale en Périgord.

Le nom est mentionné pour la première fois vers 1150. En 1214, il est enlevé par Simon de Montfort au seigneur de Casnac, partisan des cathares. Casnac le reprend, fait pendre la garnison, puis le reperd. Le château est brûlé, et revient au roi de France. En 1259, le Périgord redevient anglais, et le château est rendu à la famille de Castelnaud. Comme une bonne partie de l'Aquitaine, le sort de Castelnaud va longtemps balancer entre la France et l'Angleterre. En outre, une rivalité l'oppose aux puissants barons de Beynac, dont le donjon fait face au nord de la Dordogne.

La famille de Castelnaud s'éteint au XIVe siècle, la dernière héritière épousant Nompar, seigneur de Caumont. Cette famille s'établit alors en Périgord, et possédera le château jusqu'à la Révolution. Elle a donné, entre autres, le maréchal Jacques de Caumont La Force qui, après avoir fourni son ami Henri IV en oies grasses pour la table de Paris, assista à son assassinat.

Revenons au XVe siècle : Castelnaud est pris par les Français en 1407, puis par les Anglais. Puis par les Français en 1420, et rendu aux Anglais !

Puis par les Français en 1436, par les Anglais en 1440, par les Français en 1442! Et c'est la dernière fois! Les Caumont peuvent se consacrer à l'embellissement du château : un grand logis seigneurial est accolé au donjon du XIIIᵉ siècle, mais les murailles sont conservées, bien sûr.

Ce sera finalement l'attrait des Caumont pour leurs autres châteaux, puis pour la Cour qui aura raison de Castelnaud. Abandonné dès avant la Révolution, il devient une carrière de pierre comme tant d'autres des mille châteaux du Périgord. Mais les murs sont épais. Et son nouveau propriétaire, monsieur Rossillon, livre ici une restitution qui est une grande réussite – et, pour les mille classes qui le visitent chaque année, un musée vivant du Moyen Âge.

La collection d'armes n'en est pas le moindre attrait : au hasard des salles, on découvre les armures, harnois et les chapeaux d'armes : armet, morion, chapel, barbute, salade, bourguignote, capeline, cabasset… les arbalètes à pied de biche, à jalets, à cranequin… les armes de taille : langue de bœuf, bardiche, vouge, fauchard et les armes d'estoc : corsèque, épieu, et les armes qui sont, à la fois, de taille et d'estoc : hallebarde, guisarme… et bien sûr le trébuchet, l'arbalète à tour, la perrière et la bricole, et toutes les armes qui, jadis, ont servi à piquer, trancher, abattre ou enflammer. Le raffinement du Moyen Âge se lit dans le soin du martelage, l'ornementation ouvragée des dagues, à une époque où la vie n'était qu'un sursis.

# La cuisine médiévale à Castelnaud

Un château comme Castelnaud devait nourrir toute une garnison. Mais nos recettes sont plutôt celles des grands jours. Alors, on « dressait la table » sur des tréteaux, dans la plus grande salle, et les services se succédaient : rôtis, viandes, poissons… dont voici quelques exemples.

## TARTE AU POTIRON

*La tarte au potiron (ici sur un coffre en noyer du XIIIe ou XIVe siècle).*

Préparer une pâte brisée et la laisser reposer environ 1 h. Faire cuire, dans 25 cl de lait, 700 g de potiron (épluché, lavé et coupé en morceaux) pendant une quinzaine de minutes. Faire ramollir 125 g de beurre et le fouetter dans 300 g de fromage blanc égoutté. Ajouter au mélange 50 g de parmesan frais râpé, 100 g de sucre, 4 œufs battus, une pincée de cannelle et de gingembre en poudre, ainsi que le potiron préalablement mixé.

Préparer la pâte à tarte et la placer dans le moule, puis y verser la garniture et mettre au four (250°) pendant 1 h. Saupoudrer de sucre et asperger d'eau de rose, et servir juste tiède.

## POULET AU FENOUIL

Couper un poulet fermier en
morceaux. Les faire revenir
à feu vif dans deux grandes
cuillerées d'huile.
Puis saler et recouvrir
les morceaux de poulet
d'un demi-litre d'eau.
Laisser mijoter environ
une demi-heure.

Laver et mixer des feuilles
de fenouil, du persil,
avec 100 g d'amandes.
Quand le poulet est juste cuit,
poser les morceaux à part, et
ajouter à la sauce la mixture
d'herbes et d'amandes,
ainsi qu'une demi-cuillerée
à café d'épices (cannelle,
gingembre, clou de girofle).
Faire épaissir à feu doux.

Après avoir fait réchauffer
les morceaux de poulet,
les présenter sur un plat et
les recouvrir de la sauce
préalablement passée au tamis.
On peut utiliser des assiettes.
Mais, au Moyen Âge, c'était
plutôt de larges tranches
de pain, les « tranchoirs »,
qui en tenaient lieu.

## LES DARIOLES
## À LA CANNELLE

Pour une dizaine de petits
moules, ronds ou ovales,
à bord assez haut
(genre petit moule à baba).
Préparer une pâte brisée.
Foncer les moules et mettre
au four une dizaine de minutes
à 200°.
Par ailleurs, dans une terrine,
travailler quatre jaunes d'œufs
avec 150 g de sucre,
fouetter jusqu'à ce que
le mélange devienne blanc
et mousseux. Épicer d'une
cuillerée à café de cannelle,
verser un demi-litre de lait,
mélanger soigneusement.
Garnir les moules de cette
composition, remettre au four,
sortir lorsque la crème a pris
consistance.

Asperger d'eau de rose et saupoudrer de sucre et de cannelle.

## HYPOCRAS

L'hypocras, c'est un vin blanc
ou rouge toujours épicé et
miellé. Les vins anciens se
conservaient mal. Le miel
les « supportait », et les épices
palliaient les défauts de
conservation ou de fabrication.
Mais on peut, bien sûr,
le préparer avec du bon vin !
Il faut faire macérer dans
un litre de vin blanc
ou rouge :
200 g de miel, 50 g d'amandes
en poudre, une bonne pincée
de cannelle, quelques grains
de poivre et, parfois,
un citron pelé à vif
et rondellisé sans pépins.
Laisser macérer une semaine,
puis filtrer et servir frais.

## CIVET DE LAPIN
## DE GARENNE

Le lapin sera, bien sûr, un
lapin sauvage. Pas de ces gros
animaux gras que l'on trouve
aujourd'hui, mais un vrai conil
des garennes. Faites-le griller
vivement à la flamme, puis
découpez-le. Faites revenir
les morceaux en sauteuse.
Réservez.
Mettez à dorer trois cives
hachées, qui sont des sortes
d'oignons et ont donné leur
nom à ce plat, rajoutez
les morceaux de lapin, puis
une bonne tranche de pain
que vous aurez séchée au feu.
Recouvrez d'un bon vin rouge,
ajoutez un verre de vinaigre
et un bouquet garni.
Laissez mijoter 30 min
à couvert.
Délayez dans un bol
de bouillon les épices
suivantes : cannelle, muscade,
gingembre, sel (pas trop)
et poivre.
Passez la sauce à l'étamine,
ajoutez les épices, faites finir
la cuisson du lapin et servez
nappé de la sauce de civet.

## DAUBE DE SANGLIER

Il vous faut un bon cuissot de
sanglier.
Inutile de le mariner,
la cuisson s'en chargera.
Lardez-le, l'assaisonner,
mettez-le dans une marmite
avec : du lard ; des cives
ou gros oignons en tranches,
des carottes et panais
en tranches ;
persil, ciboule,
deux gousses d'ail,
quelques clous de girofle,
laurier.
Faites suer une demi-heure
à petit feu, mouillez d'un
demi-verre d'eau-de-vie
et d'une bouteille de blanc, et
d'un peu de bouillon. Laissez
suer six heures à petit feu.
Se sert froid entre deux alertes.

*Comme tout
château fort,
Castelnaud devait –
et dut – pouvoir
résister à un siège.
La basse-cour
permettait
d'assurer la
nourriture. Le puits
était indispensable.
Celui-ci fait une
quarantaine de
mètres de fond. Et,
lors de la réfection,
on y a retrouvé
un seau très ancien.*

# LANQUAIS

## Le Louvre inachevé du Périgord

*Brasero du XVIIIᵉ siècle.*

*Cette cuisine du XIVᵉ siècle a vu passer des générations
de cuisiniers et aussi d'hommes en armes. Une trappe menait
à des souterrains : l'un permettant de rejoindre le puits
de vingt-cinq mètres de profondeur, d'autres vers des caves
et d'autres reliés à des grottes préhistoriques.
Quant aux murs, ils sont extrêmement épais.*

*L*e château de Lanquais porte sur sa façade une longue histoire. Du vieux château appartenant aux Évêques de Périgueux, on voit la grosse tour ronde et, du XVe siècle une tour octogonale. En 1531, Lanquais passa par mariage de la famille de La Cropte à celle de La Tour. Galhiot de La Tour entama en 1561 la construction d'un grand château à l'image du Louvre, qui serait en Périgord le symbole du pouvoir catholique et royal. Le second fils de Catherine de Médicis montait sur le trône. Quinze ans plus tard, c'était au tour du troisième et dernier, les travaux de Lanquais étaient interrompus et, bientôt, le trône reviendrait à un Béarnais protestant, quoique converti : Henri IV. Ce dernier était soutenu par un calviniste, Henri de La Tour d'Auvergne, cousin de Galhiot de la Tour. Le 24 mars 1577, Henri assiégea Galhiot et fit tirer sur la façade encore vierge deux cents coups de canon, dont on voit encore les marques. Henri finit maréchal, duc et pair de France… et propriétaire de Lanquais, hérité de son cousin.

Depuis, heureusement, les bâtiments n'ont plus souffert. Au grand édifice de la Renaissance est venue s'ajouter une aile XIXe siècle, édifiée par la famille de Gourgue, qui avait acheté

*Assiette au décor Médicis. Un clin d'œil à Madeleine de La Tour d'Auvergne, épouse de Laurent II de Médicis. Elle en eut une fille célèbre : Catherine de Médicis, reine de France et mère de trois rois.*

le château en 1732. L'abbé de Gourgue, curé de Lanquais, légua en 1949 le château à sa sœur, la baronne de Brandois.

À jamais inachevé, Lanquais tient pourtant une harmonie de la patine de sa belle pierre blonde, de ses hautes fenêtres, de ses lucarnes mansardées richement ornées. Un joli escalier de pierre donne accès à la porte surélevée de la tour d'escalier. Monsieur et madame Gilles Vivier, qui s'attachent à l'accueil des hôtes du château, nous ont donné leurs recettes anciennes et actuelles.

*La salle à manger a été décorée au XIXᵉ siècle dans le plus pur style néo-gothique : ameublement imposant et tenture où se mêlent la fleur de lys et l'hermine. Sur la table : tartes, tourtes et pains surprises en « ambigu », qui consiste à présenter tous les plats ensemble.*

# Les recettes du château de Lanquais

### FOIE GRAS
### AU TORCHON

Choisissez un foie gras de canard n'excédant pas 500 g. Dénervez-le et faites-le tremper pendant 3 h dans du lait que vous salerez d'une petite poignée de sel de Guérande. Ensuite, lavez le foie à l'eau froide et séchez-le. Mettez à mariner dans 3 à 4 verres de monbazillac. Salez de sel fin, poivrez au moulin.

Après une nuit, voire même 48 h, roulez le foie dans un torchon et serrez-le bien aux extrémités, notamment pour former un petit boudin que vous attacherez avec deux petites ficelles aux extrémités. Prenez environ deux kilos de graisse de canard, que vous portez jusqu'à 94° dans une marmite. Parvenu à cette température très précise, plongez-y votre foie dans son torchon et retirez immédiatement la graisse du feu.

*La tourte au fromage de chèvre.*

Attendez alors que la graisse refroidisse dans la marmite. Entreposez la marmite avec le foie à température ambiante puis, lorsqu'elle est bien refroidie, laissez-la au réfrigérateur. Le lendemain, ou mieux, encore quelques jours plus tard, démoulez le foie au torchon, et déroulez-le sur un plat.

### TOURTE
### AU FROMAGE
### DE CHÈVRE

Choisissez un fromage de chèvre crémeux générique. Mixez-le avec de la crème fraîche épaisse que vous doserez en le goûtant

et à votre convenance : moins vous en mettrez plus le goût sera fort, au risque d'être aigre si le fromage n'est pas doux. Ajoutez muscade, quatre-épices, sel, poivre à votre convenance et remixez.

Mettez un papier sulfurisé au fond d'un moule à tarte, pour éviter que cela n'attache. Placez une pâte feuilletée, déposez votre appareil mixé, au centre, couvrez d'une seconde pâte feuilletée. Pincez les bords et roulez-les. Laissez cuire à feu très doux (th. 1-2). Quand c'est coloré, la tourte est cuite.

### PAPETONS
### D'AUBERGINES

Pour 6 personnes :
6 à 8 aubergines, trois œufs, deux gousses d'ail, deux échalotes, sel, poivre, crème fraîche, un coulis fait avec un kilo de tomates, ail, thym, persil, laurier, sel et poivre et couper les aubergines, en rondelles, les saupoudrer de sel et les laisser dégorger dans une passoire (1 h).

*Terrine à forme de lièvre, décor à l'éponge.*

Les essorer dans un torchon ; bien tordre pour extraire l'eau. Les faire cuire dans l'huile avec les gousses d'ail, les échalotes, le thym, et laurier ; quand elles sont tendres, les passer au moulin à légumes (grosse grille) ; s'il y a de l'huile qui remonte, l'enlever avec une cuillère. Incorporer à cette purée les œufs battus et trois cuillerées de crème fraîche.

Faire cuire et prendre le flan dans un moule en Pyrex bien beurré pendant 30 min. Dès que la surface n'est plus molle, saupoudrer de gruyère râpé. Surveiller la couleur et vérifier la cuisson avec une lame de couteau. Servir chaud ou froid soit avec du ketchup de bonne qualité, soit avec un coulis de tomate confectionné maison.

## LES POIRES AU MONBAZILLAC

Épluchez les poires, coupez-les en deux, et enlevez les pépins.

Dans une poêle, laissez fondre 50 g d beurre et 200 g de sucre. Quand un caramel blond se forme lentement, glissez-y les poires et tournez-les pour leur faire prendre une belle couleur. Couvrez avec du monbazillac. Ajoutez un bâton de vanille fendu, un demi-clou de girofle et une pincée de quatre-épices. Lorsque les poires sont cuites à cœur, présentez-les sur une assiette accompagnées d'une cuillerée de glace à la vanille et recouvrez de sirop de cuisson.

## CANNELÉS

Un litre de lait,
un verre de rhum,
500 g de sucre semoule,
100 g de beurre,
une gousse de vanille,
quatre œufs entiers,
300 g de farine,
et du beurre pour les moules.
La veille : portez à ébullition dans une casserole les trois

quarts du lait avec le beurre, les graines de gousse de vanille ; retirez du feu, mélangez les œufs au lait froid réservé avec le sucre, et mélangez bien le tout. Versez ce mélange petit à petit sur la farine, ainsi que le rhum. Passez au tamis et laissez reposer une nuit.

Le jour : beurrez largement les moules puis mélangez une cuillerée de farine et une demi-cuillerée de sucre glace. Versez-en un petit peu dans chaque moule, secouez et retournez-les. Remplissez ensuite les moules avec votre appareil à 1 cm du bord. Faites-les cuire au four très chaud une petite heure. Démoulez-les à chaud et placez-les sur une grille.

*Dans la grande cuisine du pavillon Renaissance, construite entre 1560 et 1580. Sol traditionnel en pisé.*

L'utilitaire de la cuisine Renaissance du château de Lanquais s'accommode d'une certaine monumentalité. À l'époque de la construction de ce haut pavillon d'angle, les bâtisseurs recherchaient l'élégance et laissaient pénétrer la lumière dans les pièces.

*Gigot aux cent gousses d'ail.*

## GIGOT AUX CENT GOUSSES D'AIL

Choisissez un beau gigot que vous aurez pris soin de désosser et de ficeler. Vous le plongez dans une marmite d'eau bouillante que vous enlevez aussitôt du feu en la couvrant. Ensuite, vous placez le gigot dans une terrine ou plat susceptible d'être parfaitement couvert en allant au four. Faites chauffer un verre de cognac ou d'armagnac, afin de faire flamber le gigot.

Évitez de laisser de l'alcool dans le fond de la terrine. Recouvrez alors votre gigot de la centaine de petites gousses d'ail que vous avez préalablement épluchées. Arrosez le gigot de 4 ou 5 verres de monbazillac (environ les trois quarts d'une bouteille). Salez et poivrez au moulin. Mettez le gigot au thermostat le plus faible. Le gigot doit cuire lentement pendant 5 h. En fonction de votre four, il est recommandé de surveiller la cuisson. Peu avant que vous ne soyez devant un gigot de belle couleur dorée avec de l'ail parfaitement imbibé de vin, vous sortez le gigot et vous déglacez la sauce avec quelques gouttes d'eau et l'allongez, pour la rendre onctueuse, d'une cuillerée ou deux de crème fraîche. Présentez le gigot entouré de ses gousses d'ail confites dans le monbazillac et accompagnez-le d'une purée de céleri.

## PURÉE DE CÉLERI

Épluchez une grosse boule de céleri, un kilo de pommes de terre, coupez le tout en quartiers. Faites cuire à l'eau bouillante, égouttez, mixez au moulin à légumes, ajoutez un peu de lait et un peu de crème fraîche, salez, poivrez, muscadez ; c'est prêt !

## TOURAIN À L'AIL

*« Il existe plus d'une manière de faire cette soupe à l'ail. Celle que je vous livre est celle que l'on offre encore à nos hôtes lorsqu'ils sont de passage au château de Lanquais. »*

Faites fondre 2 ou 3 gros oignons dans un peu de graisse de canard ou, à défaut, d'huile d'olive.

Ajoutez 6 à 7 gousses d'ail émincées. Laissez revenir et saupoudrez de farine pour monter un roux blanc épais. Couvrez d'eau et laissez cuire 5 min.

Ajoutez un litre d'eau, un petit cube de bouillon, le sel, le poivre, un bouquet garni avec une feuille de laurier. Laissez cuire 45 min. Passez le tout au mixer après avoir réservé le bouquet garni et la feuille de laurier. Ajoutez de la crème et vérifiez l'homogénéité du tourain. Si par hasard il est trop liquide, corrigez avec un peu de farine et fouettez bien. Avant de servir, ajoutez un trait de vinaigre.

*Dans la cuisine Renaissance.*

## TERRINE DE LAPIN

Voilà une recette bien simple. Mixez 300 g de joues de porc, 300 g de veau. Mélangez-les dans une grande jatte avec les 300 g de lapins que vous aurez soigneusement désossés et liés avec 50 g de mie de pain, un petit verre de lait, un bon verre de cognac, deux verres de vin blanc de Bergerac, un œuf, du sel, du poivre, une pointe de quatre-épices, un cube de bouillon dilué avec un peu d'eau chaude et une cuillerée à café d'herbes de Provence.

Placez l'appareil dans votre terrine en terre, décorez d'une feuille de laurier. Couvrez et lutez. Laissez cuire au bain-marie 2 h (th. 4-5). Laissez reposer dans le four éteint après la cuisson. Conservez au réfrigérateur 1 à 2 jours avant de servir en terrine.

## POMEPIN

Variante pour l'utilisation du pain rassis :
500 g de pommes,
200 g de pain rassis,
deux verres de lait,
quatre cuillerées de sucre,
deux œufs,
50 g de beurre,
un paquet de sucre vanillé,
deux cuillerées à soupe
de rhum ou de cognac.
Faire bouillir le lait, mettre le pain émietté à tremper dans ce lait. Ajouter le beurre, le sucre, la vanille, écraser à la fourchette (ou au mixer) ; ajouter les deux œufs entiers et le rhum. Beurrer un plat allant au four, verser la moitié de la pâte. Disposer dessus les pommes épluchées et coupées en quartiers. Saupoudrer de sucre. Recouvrir avec le reste de pâte. Mettre quelques copeaux de beurre dessus et enfourner à four doux environ 30 min. Testez la cuisson avec une lame de couteau – et ne dites pas à vos convives que votre dessert est fait avec du pain !

# MONBAZILLAC

## L'or en bouteille

CHATEAU
MONBAZILLAC

La parution en 1994 de la seconde édition de
l'ouvrage **Bergerac et ses vins**, des Éditions
Féret, est emblématique de la reprise en main
du vignoble, après des années d'éclipse.
On produisait, certes, beaucoup de vin, mais avec
un retard de qualité sur le grand voisin bordelais.
Bergerac et surtout Monbazillac ont repris
les routes de France et de l'exportation.
Au fait : la première édition de **Bergerac
et ses vins** datait… de 1903.

La cave coopérative de Monbazillac est la réponse du vignoble à la mévente. Dans les années trente, alors que la crise économique faisait s'effondrer l'un après l'autre les marchés traditionnels d'exportation, le regroupement des récoltes, seul, permit à l'appellation de « tenir ». Elle a bien tenu et, même, si bien que les coopérateurs, après avoir pris l'exploitation du vignoble du château de Monbazillac, ont fini par acheter le château lui-même pour en faire l'étendard de leur vin moelleux. Un étendard que ni les guerres de Religion ni la Révolution française... ni les excentricités du XIXᵉ siècle n'ont pu atteindre. Il se présente, aujourd'hui, à bien peu de choses près, tel que le construisit vers 1550 la famille d'Aydie. En fort pays protestant, Monbazillac est, depuis longtemps, proche des pays du nord de l'Europe, où se réfugièrent bon nombre de négociants de Bergerac

*Dans la cuisine ancienne, la cheminée ouvre sur un four à pain. Devant, deux charniers à viande charentais du XIXᵉ.*

lors de la révocation de l'édit de Nantes par Louis XIV. Les salles du sous-sol du château racontent l'histoire de ces « Marques hollandaises » entièrement dévolues à cette vente. Dans les cuisines voûtées, les objets usuels de cuisine ont long à nous apprendre sur l'économie domestique du Périgord pourpre, région de polyculture. Hormis quelques côtes favorisées, la vigne n'y est pas patronne incontestée mais une maîtresse exigeante et, qui les bonnes années, rend au centuple les soins qu'on lui prodigue. Le monbazillac, quand il est fait de raisins surmûris ou atteints de pourriture noble, et qu'il est bien élevé, a le privilège de s'améliorer grandement en bouteilles. Sa robe passe de l'or cerné de vert à l'or profond puis, parfois, à l'ambre et à des nuances rouges, que seule soutient la puissance de la liqueur. Le sémillon est le cépage principal, qui est long à exprimer ses arômes. Le sauvignon est plus direct, mais prend bien la pourriture noble ; enfin, plus que chez les voisins bordelais, on utilise la muscadelle, inconstante mais pleine de fruits.

*La salle à manger 1900 de Mounet-Sully, « monté » de Bergerac pour devenir grand acteur tragédien à Paris. Elle est décorée d'une chasse au cerf par Oudry. Le château conserve aussi son service de Limoges au décor chinoisant.*

*L'eivirouladou,*
*ou bâton à châtaignes.*

## POUR BLANCHIR
## LES CHÂTAIGNES

La châtaigne est « l'arbre
à pain » qui a permi aux
Périgourdins de traverser les
périodes de disette. Le châtai-
gnier est abondant en Périgord,
mais on le cultive, aussi, en
greffant sur ses pieds des varié-
tés plus fructifères. Les « costo-
gnaires » sont les ramasseurs de
châtaignes. Ils les sèchent sur
des claies, au-dessus d'un feu

doux, pour en extraire l'hu-
midité et décourager les vers.
Pour blanchir les châtaignes,
on chauffe une grande quantité
d'eau, qu'on peut aromatiser
avec de l'anis étoilé, fenouil,
coriandre. On y plonge les châtaignes, qu'on laisse bouillir
quelques minutes. On les sort et
on les pèle avec l'eivirouladou,
puis on les met à sec dans une
oule, on couvre d'un torchon et
on fait mijoter. On peut mettre
au fond de l'oule (qui est une
marmite en fer) quelques raves,
dont la vapeur parfumera les
châtaignes.

## *La table du château*
## *de Monbazillac*

La table du château de Monbazillac est la vitrine des jardins, des rivières,
des fermes et, bien sûr, des vignobles de la région. Installé dans les communs de la cour du château, le restaurant fait partie d'un ensemble.

## PAVÉS DE BAR RÔTI,
## BRISURES DE
## TRUFFES ET JUS
## DE MONBAZILLAC

Quatre beaux pavés de bar
désarêtés, quatre petites têtes
de brocoli, 60 g de brisures de
truffes, 10 cl d'huile d'olive,
20 cl de monbazillac, 10 cl de
fumet de poisson, 100 g de
beurre, gros sel, sel fin, poivre
du moulin.
Dans une casserole d'eau
bouillante salée, et 20 g de
beurre, cuire les têtes de brocoli pendant 8 min.
Immédiatement après la cuisson, les plonger dans un récipient rempli d'eau glacée
salée ; le sel va juste fixer la
couleur du légume mais ne le
resale pas.
Monter la température du four
à 170°. Poêler les pavés de bar

dans les 10 cl d'huile d'olive, 4 min côté peau sur feu vif pour qu'ils soient bien croustillants, puis 4 min de l'autre côté sur feu doux. Placer dans un plat à four, enfourner pendant 10 min. Au terme de la cuisson, disposer les pavés sur une grille, recouverts de papier d'aluminium pour qu'ils rejettent un peu de leur eau.

Dans une casserole, verser le monbazillac, et le faire réduire de moitié. Incorporer le fumet de poisson. Faire réduire à nouveau de moitié. Y ajouter 80 g de beurre.

Mélanger, assaisonner, puis incorporer 20 g de brisures de truffes.

Découper quatre parts de tian de légumes (voir recette ci-dessous), les disposer au bord de chaque assiette. Placer le bouquet de brocoli au milieu du tian et le pavé de bar en bas de l'assiette. Disposer un lacet de brisures de truffes, en traçant une diagonale sur le poisson, puis verser un cordon de sauce autour.

## TIAN DE LÉGUMES

Une grosse courgette, trois oignons, cinq tomates moyennes, 10 cl d'huile d'olive, sel, poivre du moulin. Éplucher les oignons, les laver puis les émincer. Ôter le pédoncule des tomates, les laver et les couper en rondelles d'environ 2 mm d'épaisseur. Couper les extrémités de

la courgette, la laver, puis la couper en rondelles identiques à celles de la tomate. Couper les bouquets de brocoli, les laver puis réserver.

Dans une casserole, faire revenir tous les oignons émincés dans l'huile d'olive. Les laisser bien fondre. Saler et poivrer. À coloration blonde, les retirer de la casserole, et les laisser égoutter dans une passoire pendant 30 min. Cela va leur permettre de rejeter un maximum d'huile. La récupérer et la réserver.

Faire préchauffer le four à 130°. Dans un plat rectangulaire, mettre une couche d'oignons puis alterner avec les rondelles de courgette et celles de tomates. Les arroser d'huile rejetée par les oignons. Saler, poivrer, puis enfourner pour 40 min. Cette cuisson va permettre de confire les légumes. À l'aide d'un cercle ou d'un emporte-pièce, vous pouvez

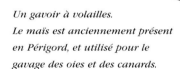

*Un gavoir à volailles.*
*Le maïs est anciennement présent en Périgord, et utilisé pour le gavage des oies et des canards.*

donner une forme arrondie ou en demi-lune à chaque part de tian de légumes.

## ÉVENTAIL DE MAGRETS DE CANARD

*(croustillant de champignons au monbazillac et son fumet des sous-bois)*

Deux magrets de canard (ou 700 g de magret de canard), quatre feuilles de brick, 400 g de cèpes, 300 g de morilles, 150 g de beurre, 30 cl de monbazillac, 20 cl de fond brun de volaille, 40 g d'échalote, sel, poivre.

*Éventail de magrets de canard et tian de légumes.*

*Le foie gras poêlé, dans la salle à manger de Mounet-Sully.*

une grille, pour que la viande se détende.

Pendant ce temps, faire suer les échalotes dans les 10 g de beurre restant. Lorsqu'elles sont bien fondues, leur incorporer les champignons (cèpes et morilles) et les faire sauter vivement pendant environ 1 min. Assaisonner.

Dans les bonbonnières de feuilles de brick, mettre les champignons. Les placer dans le haut des assiettes de service. Émincer les magrets, puis disposer les filets de magrets en éventail dans le bas des assiettes, un cordon de sauce sur le tiers des filets et autour.

## FOIE GRAS POÊLÉ

### *au caramel de monbazillac*

Le marché du chef : 400 g de foie gras frais, deux pommes golden, 100 g de beurre, dix tomates cerises, 20 cl de monbazillac, 10 cl de fond brun de volaille, sel, poivre du moulin.

Peler les pommes ; les couper en quartiers et les poêler dans le beurre, préalablement fondu, jusqu'à coloration noisette. Les réserver sur une assiette.

Dans une casserole, verser le monbazillac, le faire réduire de moitié. Y incorporer le fond de volaille et faire réduire à nouveau jusqu'à consistance nappante. Saler, poivrer, réserver.

Couper quatre escalopes dans le lobe de foie gras, en utili-

Préchauffer le four sur 190° (th. 6/7). Disposer les feuilles de brick dans quatre ramequins individuels.

Enfourner pour 2 min environ : les feuilles de brick seront bien colorées et auront pris la forme du moule. Sortir ces « bonbonnières » de feuilles de brick du four et les réserver.

Dans une poêle, faire sauter les cèpes, préalablement nettoyés, dans 20 g de beurre. Les mettre à égoutter dans une petite passoire. Dans la même poêle, faire sauter les morilles dans 20 g de beurre

puis les mettre à égoutter avec les cèpes. Réserver leur jus de cuisson. Éplucher les échalotes, les ciseler puis réserver. Dans une casserole, faire réduire le monbazillac de moitié. Y ajouter le fond de volaille et faire réduire à nouveau de moitié, avant d'incorporer le jus de cuisson des champignons.

Faire réduire à nouveau jusqu'à ce que la sauce nappe la cuillère et la monter avec 100 g de beurre.

Inciser les magrets côté peau. Saler, poivrer des deux côtés. Les poêler à sec dans une poêle antiadhésive, d'abord côté graisse pendant 5 à 6 min sur feu vif, puis côté chair 5 à 6 min sur feu plus doux. Retirer du feu et les laisser reposer quelques minutes sur

*Cette fourchette à deux dents est munie d'un crochet, bien utile pour tirer les plats du four.*

sant une lame de couteau tiède. Les poêler à sec dans une poêle antiadhésive, 1 min de chaque côté, et jusqu'à coloration. Saler, puis les réserver sur du papier absorbant. Réchauffer rapidement la poêlée de pommes. Dans les assiettes de service, disposer les pommes en rosace, les tomates cerises, quelques pluches de cerfeuil, enfin l'escalope de foie gras au milieu. Poivrer juste avant de servir. Napper de caramel au monbazillac.

## NOUGAT GLACÉ AUX NOIX DU PÉRIGORD

### *et son caramel de monbazillac*

Pour 4 personnes, le chef vous propose comme marché :
200 g de cerneaux de noix, 200 g de sucre semoule plus 6 cl d'eau, 40 cl de crème liquide, quatre blancs d'œufs, 150 g de sucre semoule plus 6 cl d'eau, une pincée de sel, un jus de citron.
Caramel : 30 cl de monbazillac, 20 g de beurre, 200 g de sucre semoule plus 6 cl d'eau
Dans une casserole, mettre les 200 g de sucre avec les 6 cl d'eau. Les porter à 120°. Le verser sur les noix, puis remuer jusqu'à refroidissement du sucre. Réserver sur une plaque pour terminer le refroidissement.
Fouetter la crème liquide.
Porter les 150 g de sucre avec

les 6 cl d'eau à 120°. Fouetter les blancs d'œufs avec le sel et une goutte de jus de citron. Lorsque le sucre est à température, le verser doucement sur les blancs d'œufs. Fouetter jusqu'à refroidissement.
Incorporer ensuite les noix sablées et la crème fouettée (réserver quelques noix sablées pour le décor). Mélanger, garnir 4 moules de 7 cm de diamètre.
Réserver pendant 4 h au minimum, au congélateur.
Caramel de monbazillac : faire réduire le vin jusqu'aux deux tiers. À part, faire un caramel blond avec les 200 g de sucre et les 6 cl d'eau. Retirer du feu et incorporer le vin cuit en filet. Le monter au beurre, puis le laisser refroidir.

Sortir les moules du congélateur, puis les démouler. Les placer au centre des assiettes de service, un cordon de caramel de monbazillac, préalablement réchauffé sur un bain-marie, tout autour.
Un conseil : il faut impérativement vérifier la cuisson du sirop avec un thermomètre de cuisine.

*Moule à beignets ou plutôt, piège à pâte. Préparer la pâte à beignets. Chauffer le serpentin du moule dans la braise, puis le plonger dans la pâte à beignet : par la chaleur, le beignet est cuit instantanément, et sans friture !*

*Le nougat glacé.*

# PUYMARTIN

## Une présence séculaire

Carbonnier de Marzac et Pilchar de Latour,
deux des familles qui, toujours par voie de succession,
ont vécu au château de Puymartin depuis 1450.

Une petite forteresse perchée sur une colline, coiffée de lourdes lauzes : le château de Puymartin est bien typique du Périgord. Il est défendu par une enceinte, qui abrite deux petites cours étagées et un château de famille, construit vers 1450 par Rodolphe de Saint-Clar, sur un édifice antérieur. Depuis, il est resté entre les mêmes mains, jusqu'aux propriétaires actuels, le comte et la comtesse Henri de Montbron, qui nous ont accueillis pour nous faire partager leur table.

Les restaurations importantes du XIXe siècle donnent un air de conte de fée à ce château aux créneaux aimables, à la chapelle minuscule, remplie de portraits et de souvenirs d'une longue famille.

Une pièce très curieuse est le cabinet mythologique recouvert de panneaux peints en camaïeux de gris. Les scènes tirées de la mythologie grecque incitent à la méditation.

Un XIXe siècle bien puritain a recouvert les corps de vêtements, prolongeant parfois un bras pour masquer une nudité pourtant bien innocente. Mais le temps se charge de pâlir ces rajouts, et rend en transparence ce qu'on avait voulu cacher.

*Les appartements seigneuriaux étaient à l'étage. La salle des gardes est devenue la grande salle à manger du château.*

## La légende de la Dame blanche

En haut de la tour nord, qui date du XIIIᵉ siècle, revient parfois le fantôme de la Dame blanche : Thérèse de Saint-Clar qui, ayant trompé son mari, fut emmurée dans une petite pièce où elle vécut quinze ans, avant d'y mourir. Depuis, elle vient parfois visiter les hôtes de passage au château.

Pour elle, voici une bonne recette apaisante. Le nom de Dame blanche est donné à divers desserts, où dominent la couleur du blanc et les tons pâles. Ainsi, le dessert le plus répandu est une glace à la vanille, servie avec de la crème fouettée et recouverte de sauce au chocolat.

Mais elle est aussi une pâtisserie, composée d'une génoise fourrée de crème et de fruits confits, masquée de meringue italienne.

On trouve encore la Dame blanche sous forme d'île flottante au citron ou d'une glace aux amandes.

## UNE RECETTE DE LA DAME BLANCHE

Monder 200 g d'amandes douces, les laver à grande eau et piler dans un mortier avec un demi-litre d'eau ; passer ce lait dans un linge en pressant le plus possible. Ajouter dans ce lait d'amandes 500 g de sucre et faire fondre au bain-marie. Après complet refroidissement, frapper à la sorbetière, de manière à en faire une glace bien ferme.

Ensuite, garnir de papier l'intérieur d'un moule à plombières ; mettre au fond une couche mince de cette glace, une couche de fruits en compote bien égouttés ; recouvrir de glace et ainsi de suite, jusqu'à ce que le moule soit plein. Frapper à la glace 1 h. Pour servir, renverser le moule sur un plat garni d'une serviette et enlever le papier autour.

# Un bon repas au château de Puymartin

*Magret farci au foie gras*
*Tourtière poulet salsifis*
*Chou farci*
*Mousse au chocolat*
*Merveilles*

## MAGRET DE CANARD FARCI AU FOIE GRAS

Pour 2 personnes : prenez un beau magret de canard. Enlevez la moitié de l'épaisseur de la graisse, salez-le et poivrez-le ; faites-le dorer à la poêle de chaque côté.

Réserver le magret sur une planche à découpe. Dégraissez la poêle, versez un fond de vin doux, faites réduire et ajoutez un peu de bouillon.

Fendez le magret sur toute sa longueur, installez du foie gras mi-cuits, repliez et appuyez pour que le foie se régularise. Découpez en lamelles dans sa largeur et en biais, et dressez sur un plat en éventail. Réchauffez à four déjà chaud sans continuer la cuisson. Puis, avant de servir, versez la sauce de la poêle.

Vous pouvez aussi le manger froid et sans sauce. Dans ce cas, il n'est pas besoin de déglacer et de faire une petite sauce. Et vous pouvez l'accompagner de château branaire, un cru très raffiné du Médoc, autrefois dans la famille.

## CHOU FARCI

Un gros chou vert bien fraîche-
ment cueilli, 200 g de veau,
200 g de chair à saucisse (le
meilleur est d'utiliser vos restes
de viande), 100 g de lard,
gousses d'ail, échalotes selon
votre goût, du persil bien sûr,
200 g de mie de pain, 2 œufs,
sel et poivre.
Faites blanchir votre chou,
nettoyé et débarrassé de ses
grosses feuilles. Égouttez-le.
Sur une assiette, vous disposez
les feuilles bien à plat.
Faites revenir le veau, la chair
à saucisse et tous les
ingrédients prévus. Garnissez
les feuilles de chou l'une après
l'autre. Ficelez le tout.
Déposez dans une cocotte des
couennes de lard. Placez-y le
chou, entourez de quelques
rondelles de carotte et de rondelles d'oignon. Retournez-le
après 20 min de cuisson.
Mouillez avec du vin blanc et
du bouillon de volaille. Salez
et poivrez, ajoutez si vous
voulez un bouquet garni.
Laissez mijoter à couvert
pendant au moins 1 h 30.
Déficelez le chou et dressez-le
sur un plat.

## TOURTIÈRE
## DE PUYMARTIN

250 g de farine
40 g de saindoux
80 g de beurre
sel, 2 dl d'eau, 2 jaunes d'œufs
Mêler le tout, laisser reposer

2 à 3 h. Couper la poule en
morceaux, faire revenir et faire
cuire très longtemps. Mouiller
avec du bouillon et un peu
d'eau, éventuellement avec un
peu de vin blanc ; ajouter des
petits lardons non fumés.
Faire revenir une échalote
hachée, ajouter une cuillerée
de farine et ajouter la sauce de

la poule. Ajouter les salsifis
cuits, 15 min avant la fin de
cuisson. Réserver la sauce qui
sera servie en saucière.
Placer la pâte sur la tourtière,
disposer les morceaux de
poule et les salsifis, abaisser
la deuxième pâte ; faire une
cheminée, dorer à l'œuf,
enfourner jusqu'à cuisson.

## MERVEILLES

500 g de farine,
125 g de beurre,
4 œufs, 125 g de sucre,
une pincée de sel,
un paquet de levure.
Bien pétrir ce mélange.
Laisser reposer 3 à 4 h. Étendre
la pâte au rouleau et découper
avec la pointe d'un couteau
des languettes de pâte.

Plonger les languettes dans
une friture très chaude, jusqu'à
ce qu'elles soient dorées.
Les sortir et les égoutter.
Saupoudrer de sucre avec
du sucre vanillé.

*Les fenêtres à meneaux de la cour
d'honneur, dite cour Saint-Louis.*

## MOUSSE
## AU CHOCOLAT

Pour 6 jaunes d'œufs,
une cuillerée à café de café
lyophilisé et 250 g de chocolat.
Faites fondre au bain-marie
le chocolat avec le café dilué
dans l'eau.
Quand le mélange est lisse,
laissez-le refroidir et ajoutez
les jaunes d'œufs.
Monter les blancs en neige
ferme et incorporez-les
au mélange délicatement.
Mettez au frais pendant
3 à 4 h.

*C'est enfouie sous la cendre que la tourtière cuit le plus délicatement,*
*à l'étouffée.*

## TRUFFES
## SOUS LA CENDRE

70 ou 80 g chacune minimum.
Enrober d'une barde de lard
très fine.
Saler et poivrer.
Papier d'aluminium.
15 à 20 min.
Ici, Mme de Montbron les
dispose dans une poêle
à châtaignes :
« Quand à l'oreille on l'entend
chanter, c'est que la truffe est
cuite ! »

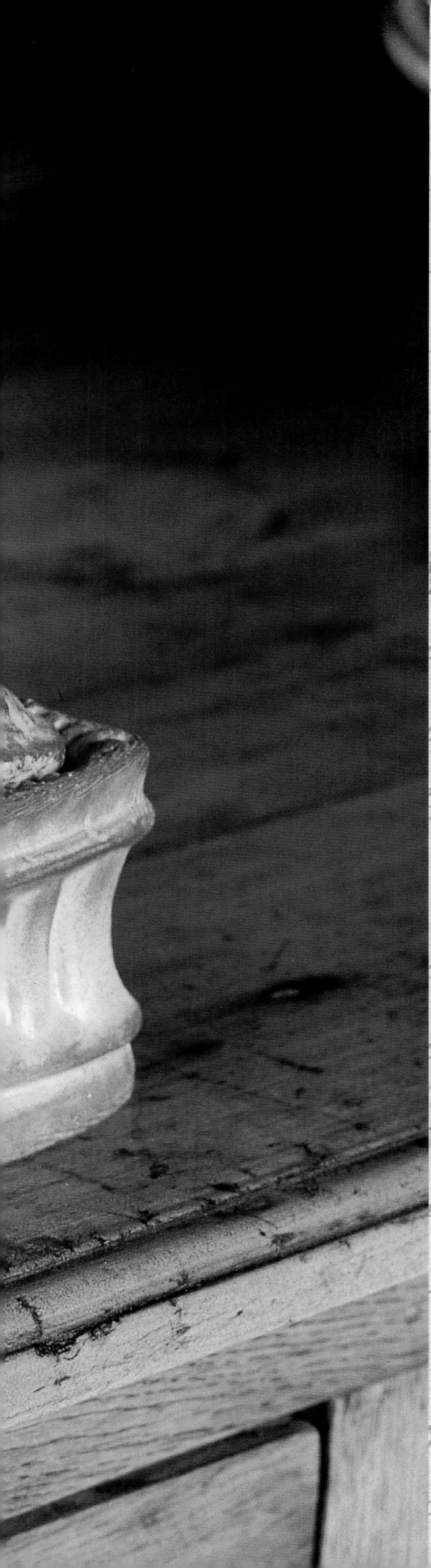

# Siorac

## *Un art culinaire*

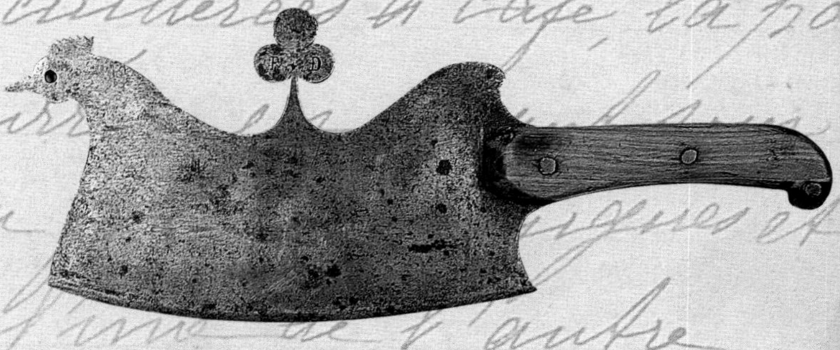

*Les arts de la table au château
de Siorac-en-Périgord :
quand les ustensiles de cuisine
deviennent objets d'art.*

*Cheval, poule ou
pigeon : l'imagination
des forgerons a
transformé les hachoirs
de bouchers en
un bestiaire fantasque.*

Sur un détour de la Dordogne, nous avons trouvé le château de Siorac-en-Périgord. Son histoire n'est pas celle des châteaux forts et des grandes batailles : elle est villageoise. Le château tire son origine dans la famille de La Verrie-Vivant, qui l'avait construit et richement meublé entre 1760 et 1780, et dont les biens furent saisis à la Révolution. Lakanal, par ailleurs grand pourfendeur des langues régionales, fit réquisitionner tous les meubles du château. Cette famille de la Verrie-Vivant reviendra ensuite au village et y construira le pont sur la Dordogne que l'on passe encore, et

*Trouvé à Brive-la-Gaillarde,
ce canard était l'enseigne
d'un magasin de foie gras.*

qui resta en péage jusqu'en 1900. Un partage familial divisa en 1804 le château en trois parts : une part échut à un député devenu aventurier en Guyane ; une autre au presbytère, puis à la mairie ; le grand-père de Charles Jacoupy a acheté l'autre tiers en 1935. Le bâtiment est d'une hauteur impressionnante, ce qui lui a permis, durant la dernière guerre, d'abriter des parachutistes anglais, et de sauver leur vie : les Allemands, en effet, se sont essoufflés avant d'arriver jusqu'aux hauts combles où étaient réfugiés les Anglais. Charles Jacoupy est né ici, dans le salon près de la cuisine. De son château familial, il a fait un musée d'art culinaire où se côtoient le plus humble, ustensiles anciens façonnés à la main, et le plus raffiné – comme la salle à manger dressée d'une porcelaine « au Barbeau » du début du XIXᵉ siècle.

*Collection de
casse-noisettes anciens,
XVIIIᵉ et XIXᵉ siècles.*

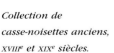

*Ciseaux coupe-œuf.*

## ENCAS D 'ENCHAUD

Voici une recette simple,
qui sert de dépannage quand
les provisions n'ont pas
pu être faites. Faire dorer au
four un morceau d'échine (qui
est plus moelleux que le filet)
avec une mirepoix. Laisser
cuire, puis mettre au fond d'un
bocal de la graisse de canard,
ensuite l'échine en morceaux
et recouvrir de graisse, sans
trou d'air. Cet enchaud se
conserve au moins un mois
au réfrigérateur.

### *Les belles conserves dans l'armoire à délices*

*Entre les confitures
de fruits exotiques,
les conserves de haricots
et celles de champignons,
voici deux petites recettes
de conserve, qui nous
conduisent plutôt
vers la mer.*

## SARDINES À L'HUILE

Après les avoir vidées et nettoyées, laissez-les au sel pendant 2 h ; rincez-les, mettez
dans des bocaux recouverts
d'huile d'olive et puis stérili-
sez-les pendant 1 h.

*Deux moines à la cuisine,*
*huiles de Louis Guy, 1887.*

*Combien d'enfants ont-ils joué au*
*jardin avec ce cochon truffier, un*
*authentique jouet périgourdin né*
*de la fantaisie d'un artisan ?*

## THON À L'HUILE

Cuisez le thon dans un
court-bouillon bien
relevé. Mettez-le en pots
recouverts d'huile
d'olive.
Stérilisez une heure.

## LE JAMBON SEC

Un bon jambon, pas trop gras,
de porc fermier.
Dix kilos de gros sel, alcool,
poivre, sel fin. Frotter toutes
les parties de chair à nu avec

de l'alcool, cognac ou armagnac, mêlé de sel fin et de
poivre. Poser le jambon dans
un charnier ou une caisse, en
veillant à ce qu'il soit recouvert
de sel de tous côtés. Quarante
jours après, le sortir, le laver,
le frotter de nouveau avec
l'alcool, sel fin et poivre.
L'entourer d'une mousseline et
le faire sécher dans un lieu sec
et aéré. Attendre deux mois,
ou six si l'on peut, avant de
l'entamer. Se mange à toute
heure.
On peut aussi désosser le jambon : il prend beaucoup moins
de place et se découpe plus
facilement, mais la
chair est plus
fragile et il
se conservera
moins longtemps.

*Un château dans son village : on découvre Siorac au fond de l'allée.*
*Le rez-de-chaussée abrite les collections d'objets culinaires,*
*la cuisine est à l'étage, lumineuse et bien agencée.*

# $\mathcal{A}$ la table de Siorac

*Racines périgourdines pour lui,*
*souvenirs de voyage pour elle,*
*la table de Siorac est le fruit de leur rencontre.*

## POULE AU POT FARCIE AU SANG DE MONSIEUR JACOUPY

« Pour 6 personnes :
une poule de 2,5 kg,
avec le sang, le foie, cœur,
une gousse d'ail, mie de pain
rassis (une poignée),
deux échalotes,
un oignon,
cinq jaunes d'œufs,
deux cuillerées à soupe
de graisse d'oie,
deux cuillerées à soupe
de lait cru, gros sel,
moutarde, cornichons,
poivre et divers pickles
à votre convenance.
Préparer le pot-au-feu.
Mettez, dans trois litres d'eau,
un oignon piqué
de clous de girofle,
500 g de carottes,
500 g de blanc de céleri,
500 g de poireaux attachés,
quatre navets, une gousse d'ail,
un bouquet garni,
trois cuillerées à soupe
de gros sel de mer,
une cuillerée à café de poivre
moulu. Laissez cuire pendant
20 min après ébullition.

Hachez les oignons, échalotes,
ail avec le foie, le cœur,
le gésier après en avoir ôté
la peau blanche.
Mélangez ce hachis avec
le pain qui aura trempé dans
le lait, ajoutez le sang,
les jaunes d'œufs,
et pétrir le tout.
Farcissez la poule et cousez.
Dans une grande marmite en
fonte, mettez la poule, après
l'avoir badigeonnée de graisse

d'oie. La faire dorer
à feu moyen.
Puis la recouvrir avec
le bouillon de légumes.
Laissez cuire 1 h 30 à 2 h. »

Découpez la poule et la farce
et présentez comme sur la
photo, c'est beau et épuré [1] :
et, en plus, c'était divin,
la farce est une des meilleures
que j'ai jamais mangées. J'en
reprends deux fois…

**1.** Il n'est pas dans nos habitudes de photographier deux fois le même plat. La poule sortant de son pot nous semblait tout à fait photogénique, mais, en voyant le plat arriver sur la table, notre appétit s'est effacé devant le plaisir du livre à venir. Claude a bondi sur ses appareils, et nous avons mangé la poule un peu froide. Avouez que la photo le méritait !

## TORTADA

*(recette de Madame Jacoupy) :*

500 g d'amandes en poudre
500 g de sucre en poudre
Zeste d'un demi-citron
7 œufs
1 noix de beurre pour le moule
1 pincée de cannelle en poudre
2 cuillerées à soupe de farine
Dans une terrine, mélangez les amandes, la cannelle, le zeste de citron ; cassez les œufs en séparant les blancs des jaunes ; battez les jaunes avec le sucre au fouet jusqu'à ce que le mélange blanchisse.
Versez la préparation au centre de la poudre d'amande jusqu'à obtenir une pâte homogène.
Monter les blancs en neige et incorporez-les délicatement.
Beurrez et farinez un moule à manqué.
Au four préchauffé à 150°, laissez cuire 1 h.
Excellent et là aussi, j'en reprends une deuxième fois !

# JUMILHAC-LE-GRAND

## Un château et son village

« *Avec ses tours, ses tourelles en fuseau, ses hauts pignons d'ardoise,*
*ses fenêtres délicates et le peuple vertigineux de ses girouettes,*
*on le dirait dessiné par Doré pour seconder les aventures de héros*
*de tapisserie et de romans, des oiseaux rares dans la volière*
*et quelque peu de mythologie* »
*Baron de Verneilh, archéologue périgourdin, 1874.*

*Ce monogramme, si on l'examine bien, reproduit toutes les lettres du nom « Jumilhac ».*
*Il orne le linteau de la monumentale cheminée Louis XIII du grand salon.*

Nous voici aux confins du Périgord et du Limousin. Si le sous-sol est riche, ce n'est pas de truffes comme dans le Périgord noir mais d'or, et Jumilhac est proche de la seule mine d'or en activité en France. Une mine très anciennement connue, puisqu'on peut voir des *triens* d'or d'époque mérovingienne frappés GEMELIAC. Et une très ancienne seigneurie.

La pierre très dure du château de Jumilhac, du schiste cristallin, si elle a permis la bonne conservation des murs, a imposé des façades austères et peu décorées. Mais la fantaisie est présente dans le plan irrégulier, et surtout dans l'imbrication des toitures, qui sont un tour de force de charpentier. Sans souci de symétrie, chaque corps de bâtiment semble se pousser du col pour surpasser ses voisins – tous étant battus par une tour de guet,

*Un samovar monumental, aux armes des Jumilhac, représentant la chapelle de leur patronyme.*

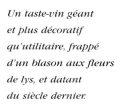

curieux belvédère coiffé d'une petite calotte qu'on appelle « le chapeau du marquis » – le marquis de Jumilhac, bien sûr. Mais ce n'est pas tout : reste encore « le peuple vertigineux de ses girouettes », les faîtières en plomb qui surmontent les arêtes et les pointes des toits, des allégories, bien sûr, évoquant la carrière d'Antoine Chapelle : la Justice, l'Autorité, le Droit. Mais aussi des choux frisés et des oiseaux, des dauphins et des roses, qui participent de la même symbolique du pouvoir seigneurial et de son allégeance à la couronne royale. Ainsi, le couvreur a embelli ce que le maçon avait construit pour durer.

*Un taste-vin géant et plus décoratif qu'utilitaire, frappé d'un blason aux fleurs de lys, et datant du siècle dernier.*

*Dans le grand salon, les toiles d'Oudry évoquent les chasses du Grand Siècle.*

On doit l'aspect actuel du château à Antoine Chapelle, riche propriétaire de forges et allié d'Henri de Navarre sous la Ligue. Mais l'histoire de Jumilhac commence, bien longtemps avant : dès le Ve siècle existait la forteresse de Gemiliacum, qui fut détruite par les Wisigoths puis un nouvel édifice franc, détruit par les Normands et un château fort du XIIe siècle, qui est la base plusieurs fois remaniée du château actuel. La seigneurie féodale de Jumilhac se trouva partagée entre les familles de La Porte et de Bruchard, l'une périgourdine et l'autre limousine, chacune élevant son château. C'est Antoine Chapelle qui réunit en une seule main ce puissant fief. Le château est le reflet de sa puissance, plus grand, mieux percé et couvert de ses hautes toitures.

*Les mesures en étain de toutes contenances, au chiffre GDB.*

Son petit-fils, comte puis marquis de Jumilhac, ajoutera au XVIIe siècle les deux ailes en retour d'équerre et la courtine qui ferme la cour, ainsi que des jardins en terrasse surplombant l'Isle. La modestie de ces ailes n'est qu'apparente : celle de droite abrite à l'étage des pièces d'apparat lambrissées, où la décoration des plafonds répond à la marqueterie des parquets. Quant au château vieux, il fut le cadre d'une aventure tragique : Louise de Hautefort, femme d'Antoine II de Jumilhac, soupçonnée d'infidélité, fut enfermée trente ans dans la « chambre de la Fileuse », prison au cœur de la façade.

Les seigneurs de Jumilhac suivants seront militaires. Saisi à la Révolution, le château ne sera pas dégradé et reviendra aux Jumilhac. Mais ils le quitteront en 1811, pour n'y revenir qu'en 1927, après plusieurs ventes dont le château a souffert. Racheté par Odet

*Une jarre dite trois-culs, servant à la conservation de l'huile de noix.*

*La cuisine de l'aile
droite : sol en pisé,
larges ouvertures ;
elle est telle
qu'au XVIIe siècle.*

*Un bel ensemble
de cuivre couvre
les murs de la cuisine.
Ici, une poissonnière.*

de Jumilhac, il est aujourd'hui la propriété du comte Henry de La Tour du Pin Chambly, son petit-fils.

Les photographies du début du siècle montrent un château en piteux état, aux toits effondrés, la galerie détruite, les pavillons abritant des boutiques et le porche… la gare !

Les hasards des carrières, et une certaine indifférence du XIXe siècle pour les vieux châteaux – sauf à les remodeler au goût du jour –, avaient éloigné de leurs sources beaucoup de grandes familles du Périgord. Elles sont revenues, sous l'impulsion entre autres personnalités de Georges Bonnet, maire de Jumilhac-le-Grand. Henry de La Tour du Pin Chambly se consacre à la restauration intérieure du vieux château, un travail de longue haleine. Il nous a accueillis pour ce reportage avec les recettes familiales.

*Une curieuse cuillère
de cuisine
à double
usage.
Objet
rare
que nous
avions déjà
rencontré au
château de Cany
en Normandie.
Celle-ci est au chiffre
Gourcuff-Dreux-Brézé :
le cousinage explique la
similitude des objets.*

# *L*es recettes
# du château de Jumilhac

### BROUILLADE
### AUX ÉCREVISSES

*(recette traditionnelle
de la famille)*

Deux queues d'écrevisses pour
un œuf, sel, poivre, beurre.
Décortiquez les queues
des écrevisses. Passez-les rapidement au beurre chaud.

Beurrez l'intérieur d'une casserole à fond épais. Cassez-y les
œufs, mélangez-les sans les
battre, assaisonnez de sel fin et
de poivre du moulin ; cuisez-
les au bain-marie ou à feu très
doux, tout en remuant
constamment avec une cuillère
en bois. Ajoutez les queues
d'écrevisses. Quand les œufs
ont atteint une consistance cré-

meuse, retirez-les du feu, ajoutez quelques miettes de beurre.
Décorez avec des croûtons frits
et une sauce Nantua (aux écrevisses), éventuellement.

### CARRÉ DE CUL-NOIR
### À L'ORANGE

Le porc cul-noir est une belle
race, surtout présente dans le

Limousin voisin. Faites
préparer un carré de cul-noir.
Piquez-le, à l'os,
de zestes d'orange.
Placez-le dans un plat à four,
arrosez d'un filet d'huile
d'olive,
salez et poivrez ;
ajoutez un verre d'eau
ou de vin blanc pour que
le carré ne dessèche pas.
Et laissez-le cuire en arrosant
de temps en temps
avec le jus de cuisson.

## CHAMPIGNON FARCI JUMILHAC

Prévoir des gros champignons
genre rosés-des-prés ou, à
défaut, des champignons de
Paris. Faire cuire les têtes, dans
une poêle avec un peu d'huile
d'olive, chapeau vers le bas, à
petit feu. Préparer une mousse
de marrons très fine.
Farcir les têtes avec cette
purée, salée et poivrée. Tenir
au chaud et, avant de servir,
décorer de lanières de zestes
d'orange.

## TARTE JUMILHAC

Une pâte brisée :
250 g de farine tamisée,
125 g de beurre mou,
une pincée de sel,
5 cl d'eau environ.
Préparer la pâte avec
ces ingrédients.
Laisser reposer au moins 1 h.
Faire tremper 500 g de
pruneaux dans du thé.

Puis dénoyauter ceux-ci.
Les hacher jusqu'à la purée
et les faire cuire à petit feu
jusqu'à consistance épaisse.
Faire cuire la pâte à blanc,
mettre des petits pois, style
haricots secs [1], pour que la
pâte ne gonfle pas.
Quand la pâte est refroidie,
étaler la purée de pruneaux
uniformément sur celle-ci.
Quand le tout est froid,
coucher de la crème fraîche
légèrement sucrée, de la même
épaisseur que la purée
de pruneaux.

1. Quand on cuit une pâte à
tarte « sans rien », il faut mettre
des petits cailloux ou des haricots blancs parsemés sur la pâte.

## DAMNATION DE L'ÉVÊQUE

*Le dessert préféré*
*– damnation ! –*
*d'un évêque de la famille.*

Une pâte à choux
pour 8 personnes :
60 g de beurre,
125 g de farine,
quatre œufs,
1/4 l d'eau,
une pincée de sel.
Mettre dans une sauteuse
l'eau, le beurre et le sel
fin.
Faire bouillir et ajouter
en une seule fois la farine tamisée, dès que le
beurre
est fondu.

Travailler ce mélange avec
une spatule en bois.
Faire dessécher la pâte jusqu'à
ce qu'elle se détache de la
paroi de la sauteuse qu'elle
forme une boule homogène.
Hors du feu, ajouter les quatre
œufs, un par un. Mettre cette
pâte dans une poche à douille,
et coucher des petits tas
sur une plaque allant au four ;
on peut faire seize tas
(deux choux par personne).
Dorer à l'œuf et faire cuire
à four chaud (200°)
pendant 20 min environ.
Quand ils sont refroidis,
couper un petit chapeau.
Mélanger de la purée
de marrons et de la crème
fraîche.
Garnir les choux.
Faire fondre du chocolat noir
avec de la crème fraîche
ou du beurre.

Napper les choux garnis
et décorer de cerneaux
de noix.

*La tarte Jumilhac.*

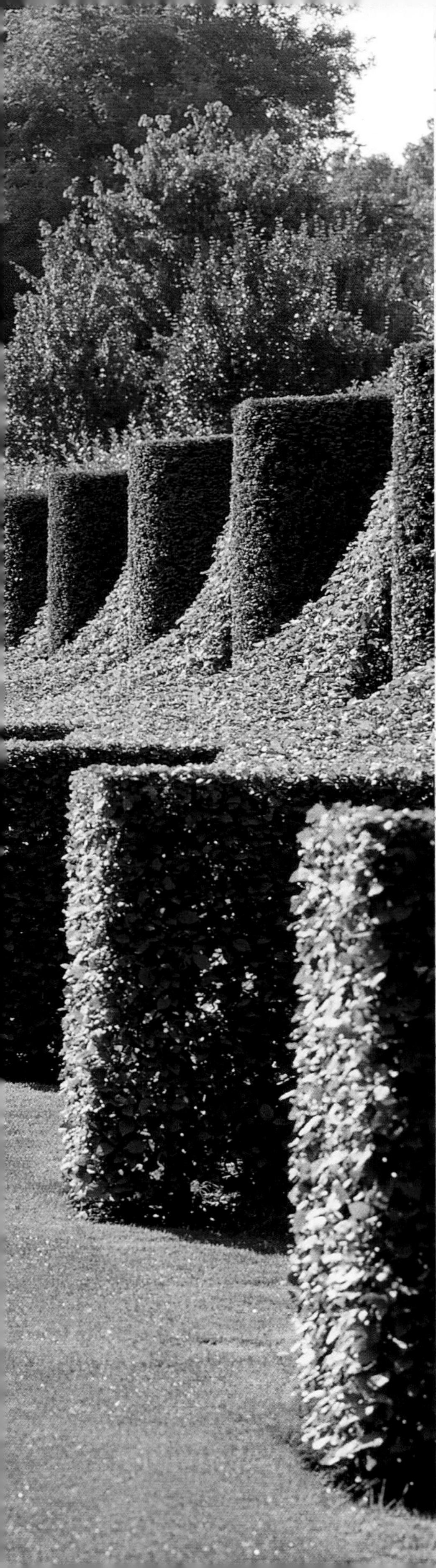

# Eyrignac

## *Déjeuner au jardin*

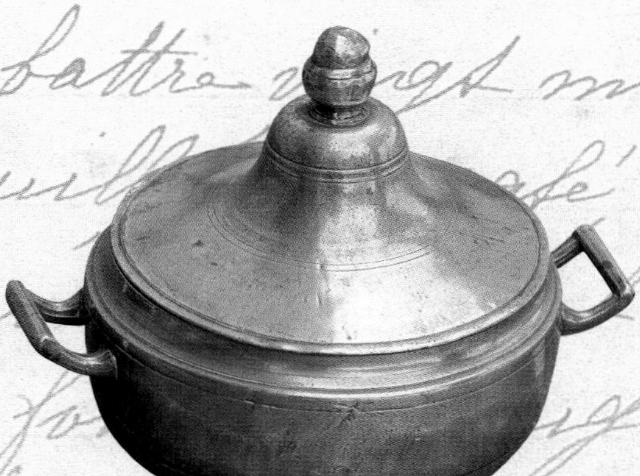

# Un déjeuner d'été au jardin

Ce 24 juin, la canicule était déjà là. Quelle bonne idée de préparer
un repas froid !

*Melon rafraîchissant*
*Enchaud froid et sa bonne salade de pommes de terre*
*Fromages du pays*
*Tarte à l'abricot (divine)*

*Sur la table du rond-point, l'enchaud froid et sa salade de pommes de terre.*

## ENCHAUD

L'enchaud est un filet de porc roulé cuit dans la graisse d'oie et à l'étouffée pendant 2 h au moins. Mais laissons La Mazille en parler :

« Vous prenez un beau morceau de porc de 4 à 5 livres, dans le filet. Faites-le désosser et, quand il est bien étalé, salez et poivrez généreusement et mettez de-ci de-là, 2 ou 3 gousses d'ail.

Ensuite, vous le roulez sur lui-même, vous le ficelez serré et vous le mettez au frais, car l'enchaud doit être ainsi préparé la veille pour le lendemain. Vous le faites rôtir, alors, soit au four, soit dans une cocotte avec 2 ou 3 cuillerées de graisse, et vous ne couvrez la viande que lorsqu'elle est bien dorée de toutes parts.

Vous mouillez avec un verre d'eau tiède, vous salez, poivrez et vous laissez cuire à l'étouffée pendant 2 h 30, à cuisson lente mais régulière.

Dans le cas où vous faites cuire l'enchaud au four, arrosez-le souvent.

Vous servez l'enchaud avec des pommes de terre cuites sous la cendre ou à la vapeur et vous mettez le jus à part, une fois un peu dégraissé et allongé avec un peu de bouillon bien chaud.

« Cependant, l'enchaud, en dépit de son nom, est infiniment meilleur froid, et c'est ainsi qu'on le mange le plus volontiers dans le pays, surtout avec un peu de jus et de graisse figée du rôti, qui a un goût si délicat. »

*La pagode chinoise laquée de rouge,*
*que l'on découvre au bout d'une allée*
*de charmes, est aussi un belvédère sur*
*les champs alentour… Et, ici, le prélude à un*
*repas itinérant dans les jardins d'Eyrignac.*

## SALADE DE POMMES DE TERRE

Cuisez des pommes de terre à chair ferme, genre charlotte, à l'eau ou à la vapeur, à juste cuisson, afin qu'elles ne s'écrasent pas. Préparez une sauce vinaigrette bien relevée au vinaigre de noix et à l'huile d'olive, salez et poivrez. Mélangez cette sauce avec les pommes de terre encore tièdes. Elles ne s'en imprègneront que mieux. Ajoutez des fines herbes hachées menu. Ici, on a rajouté des petits dés de tomates et de poivrons multicolores.

## TARTE À L'ABRICOT

Préparez une pâte brisée avec 250 g de farine, 125 g de beurre ramolli, une pincée de sel et un peu d'eau, tout au plus 5 cl.

Laissez-la se reposer 1 h. Puis étendez-la au rouleau à pâtisserie. Déposez sur un moule à tarte. Saupoudrez de chapelure. Coupez les abricots en deux, enlevez les noyaux.

Posez les oreillons à l'envers et saupoudrez de sucre vanillé. Mettez au four préalablement chauffé, et laissez dorer tout en surveillant la cuisson, au moins 45 min.

*La tarte à l'abricot, devant le bassin du pavillon de repos,*
*daté du premier jardin du XVIIIᵉ siècle.*

# Les jardins du manoir d'Eyrignac

Dans ce Périgord noir – où le noir semble n'être réservé qu'aux truffes –, Eyrignac est une oasis où se conjuguent toutes les nuances du vert. On le sent de loin, à l'apprivoisement de la nature qui nous mène vers des jardins enchantés, dans un lieu improbable. Ici, pas de château mais un manoir. Alors que le château affirme et défend, le manoir ordonne et gouverne, et ne vit que par la campagne qui l'entoure. Eyrignac est bien un manoir, rural, qui a changé sa campagne en paradis. Ses créneaux sont des buis, ses guetteurs sont des ifs, et les sept sources alimentent non des douves austères mais un jardin où l'exubérance de la nature est, depuis plus de trois siècles, canalisée par le goût d'une famille.

Bien sûr, il y eut autrefois, comme partout en Périgord, le lot de batailles et un château. Antoine de Coste de La Calprenède le tenait de sa famille. Premier Consul de Sarlat, il défendit la ville contre le Grand Condé en rébellion contre Louis XIV. C'était en 1643, et Sarlat

*Le manoir d'Eyrignac ne se visite que sur rendez-vous. C'est une maison de famille, dorée au soleil et chauffée par le sable de la cour.*

fut prise, mais Antoine de Coste se rebella et vit, en représailles, sa maison forte incendiée. C'est lui qui reconstruisit à la même place le manoir actuel, non plus défensif mais démonstratif : les pavillons d'angle traditionnels sont rejetés aux angles de la cour, l'un abritant la chapelle familiale, l'autre à usage de pigeonnier.

Gabriel, marquis de Coste, petit-fils d'Antoine, créa les jardins dont subsistent les éléments d'architecture, pavillon de repos, vasques et sculptures. Puis, le domaine passa par les femmes à la famille Sermadiras. Le manoir a eu l'heur de ne subir aucun siège. Les jardins ont évolué au goût du jour et, comme bien d'autres, ont été transformés au XIXe siècle *à l'anglaise*, abandonnant les perspectives pour le hasard de la rencontre.

C'est vers 1960 que Gilles Sermadiras de Pouzols de Lile s'attela à cette charge sans fin : recréer un jardin dans l'esprit du XVIIIe siècle. Comme les cuisiniers ne dévoilent que leurs réussites, les créateurs de jardins ne montrent que leurs résultats. Sans doute, le travail fut long et périlleux, et la nature est capricieuse. Les buis et les ifs grandissent lentement. L'eau abonde, certes, mais il faut la canaliser. Les perspectives ont grandi lentement, elles sont mûres pour la visite.

Qu'y ajouter ? Une roseraie est en préparation, pour fleurir encore
plus ce jardin qui n'est pas si droit qu'il n'y paraît. Les perspectives
y sont multiples et savamment orchestrées… et, parfois, au cœur
d'un bosquet, et inaccessibles aux humains, des nichoirs à oiseaux
rappellent qu'un jardin a de multiples occupants.

Gilles Sermadiras créa ces jardins pour redonner vie à sa propriété
de famille. Après avoir consulté les meilleurs spécialistes en la matiè-
re, il choisit de s'y atteler lui-même.

Et de mêler l'inspiration classique à la fantaisie périgourdine, comme
dans ce rond-point de verdure dont le sol est en pisé. Son fils Patrick
a ouvert les jardins au public, seul moyen d'assurer leur pérennité.
Et toute la famille nous a accueillis au jardin et au manoir, pour nous
donner les recettes du bien-vivre d'Eyrignac.

## LA MIQUE

Un plat que Madame Sermadiras prépare souvent pour son mari.

Comme l'écrit si bien La Mazille : « la préparation des miques est des plus simples. Trois miques, prenez environ 250 g de farine de maïs et 250 g de farine de froment. Avec le mélange égal, on obtient des miques plus fines que les autres. Mêlez bien les deux sortes de farine et pétrissez-les avec une cuillerée de graisse fine, un peu de sel et la valeur d'un verre d'eau tiède. Vous obtenez ainsi une pâte très épaisse.

Prenez-en le tiers à peu près et, avec la paume de la main, formez une boule ronde et lisse de la grosseur d'une orange. Quand les miques sont prêtes, faites bouillir de l'eau salée et, quand l'ébullition commence, mettez les miques que vous retournez une ou deux fois pour qu'elles cuisent de tous côtés. Quand elles sont cuites, au bout d'une demi-heure environ, égouttez-les sur un linge et tenez-les au chaud. Les miques de maïs se mangent en guise de pain soit avec du salé et des choux, soit avec le civet de lièvre ou de lapin. Elles se mangent encore comme dessert, frites dans des œufs battus et recouvertes de gelée de groseilles ou de miel.... »

Ainsi parle La Mazille !

## SOUFFLÉ GLACÉ

*de Madame Sermadiras*

Pour un moule à soufflé de 18 cm de diamètre : 400 g de sucre en poudre, dix jaunes d'œufs et cinq blancs, 1/2 l de crème fleurette, parfum au choix (Grand-Marnier, vanille cacao, framboise...).

Huilez le moule, saupoudrez de sucre et entourez-le d'une bande épaisse de papier sulfurisé (huilé et saupoudré de sucre) de 8 cm de haut dépassant le moule de 4 cm bien, serré autour du moule par un gros élastique et des morceaux de papier collant épais. Versez le sucre dans une casserole, humectez-le, faites cuire au petit boulé, le sirop doit faire des bulles régulières et ne pas foncer.

Dans une autre casserole aux angles arrondis, battez les jaunes d'œufs au fouet en faisant couler le sirop bouillant en filet, comme l'huile d'une mayonnaise. Remettez sur feu doux et continuez de battre jusqu'à ce que le mélange fasse le ruban.

Monter la crème en chantilly.

*Une bouillotte et une soupière en étain, parmi les pièces qui garnissent la salle à manger.*

Montez cinq blancs en neige et
ajoutez ces deux choses au
mélange bien refroidi. Ajoutez
le parfum désiré.
Mettez dans le moule jusqu'en
haut du papier, au congélateur
ou au freezer 24 h avant de
consommer, enlevez la bande
de papier pour que cet entremets ait l'air d'un vrai soufflé.

## DUCHESSE
## DE SARLAT

« Je tiens la recette suivante,
écrit La Mazille, de ces déli-
cieux entremets, de l'inventeur
périgourdin lui-même, qui se
cache modestement sous le
pseudonyme de Jacques
Tournebroche.

Pour obtenir 150 g
de cerneaux,
cassez des noix très saines (ni
vertes ni rances). Vous devez
les râper à la main, car il ne
faut employer ni mixer ni
appareil de ce genre.
Vous mélangez à cette farine
150 g de sucre en poudre et
150 g de beurre en crème.

*Le livre de La Mazille – ici une édition ancienne – est la Bible culinaire du Périgord. Le savoir-faire s'y mêle à la collecte des usages anciens. D'ailleurs, il est écrit par une femme et dédié à son père.*

*Assiette de Sèvre, XVIIIᵉ siècle.*

Malaxez pendant 30 min avec une cuillère de bois. D'autre part, préparez une crème pâtissière en délayant trois jaunes d'œufs avec 85 g de sucre en poudre, 25 g de farine et 300 g de lait tiède parfumé à la vanille. Laissez cuire pendant quelques minutes, en tournant sans cesse la crème. Lorsque celle-ci est cuite et encore chaude, vous y incorporez la première préparation. Foncez un moule avec des biscuits à la cuillère et versez-y le mélange en, recouvrant le tout avec une rangée de biscuits. Laissez au réfrigérateur pendant 24 h et démoulez au moment de servir. »

# GRIGNOLS

## Un acte de foie gras

La grande cheminée de la cuisine a été dédiée à la reine Anne de
Bretagne par Jean de Talleyrand, chambellan de ses deux rois Charles
VIII et Louis XII, et sans doute très proche d'Anne. Comme en plusieurs
endroits du château, on retrouve sur cette cheminée l'hermine de
Bretagne (les ducs de Bretagne étaient aussi comtes de Périgord
au XVe siècle). Les fleurs de lys ont été martelées à la Révolution.
Mais les hermines ont été épargnées, ainsi que les cœurs renversés
qui seraient un signe de l'attachement de Jean de Talleyrand
pour sa reine Anne.

*Le blason personnel
de Jan Hoornweg.*

LUCTOR ET VINCO

# Histoire du château fort de Grignols

Jan Hoornweg est l'heureux propriétaire de Grignols, un très ancien château fort dont on remonte la trace jusqu'au Vᵉ siècle. Les seigneurs de Grignols prirent au Xᵉ siècle le surnom de « Talleran », car, hommes de guerre farouches, ils taillaient dans les rangs de leurs propres soldats ! Le nom a évolué en Talleyrand, très illustre famille dont la branche aînée, les comtes de Périgord, s'est éteinte en 1440 après avoir été bannie par le roi Charles VI. Dès le XIIIᵉ siècle, Grignols était passé à la branche cadette, qui liera son nom à l'histoire de France. La forteresse fut agrandie au XIIᵉ siècle, puis très ren-

forcée vers 1260 par Boson, seigneur de Grignols. Les huguenots, les croquants, la Fronde, enfin, s'attaquent au château qui est ruiné en 1652. Les Talleyrand-Périgord, appelés aux plus hautes fonctions, délaissent Grignols, de plus endommagé sous la Révolution. Et finalement, après neuf siècles de présence de la même famille, le duc Élie de Talleyrand-Périgord, prince de Chalais, lègue Grignols à l'hôpital de Chalais, qui le revend en 1902. Quelques transactions plus tard, après des restaurations nombreuses, Monsieur et Madame Hoornweg en ont fait une résidence d'été et un château fort rénové dans toute sa pureté. À Grignols, nous avons pu voir que l'on peut vivre, aujourd'hui, dans un château fort, derrière des murs de deux mètres... et y faire bonne chère !

*La salle à manger a pris place à l'étage, dans la salle des gardes qui fut, jadis, la salle des gentilshommes. La plaque de la cheminée date de 1303. La décoration est inspirée de celle du château de Bourdeilles.*

## BEIGNETS DE FLEURS D'ACACIA

Cueillez les fleurs des acacias du château de Grignols ou, à défaut, d'autre part. Faites-les mariner dans un verre de rhum avec du sucre semoule.

Préparez la pâte à frire : mélangez trois jaunes d'œufs, 200 g de farine tamisée et délayée avec un petit verre d'eau tiède, une pincée de sel et une cuillerée à soupe de beurre fondu. Faites chauffer votre bain de friture et montez les trois blancs en neige, que vous incorporez délicatement à la pâte. Égouttez les grappes de fleurs d'acacia et plongez-les dans l'huile bouillante. Les beignets remontent et deviennent dorés, sortez-les, égouttez-les et saupoudrez de sucre semoule.

# La célébration du foie gras

En s'inscrivant dans la longue lignée des propriétaires de Grignols, Jan Hoornweg a voulu donner au château une nouvelle chance : poursuite des restaurations, ouverture au public… c'est un acte de foi envers la pérennité du Périgord. C'est aussi un acte d'amour envers la terre française… et ce fut, ce jour-là, avec la complicité d'un producteur de Grignols, un acte de foie gras : nous avons dégusté le foie gras et le magret farci dans la grande salle à manger, en relisant Pline l'Ancien. Car le foie gras est lui aussi de haute Antiquité : de l'Égypte antique à la Grèce, et jusqu'à Rome, on élevait des oies et des canards pour en faire de belles volailles bien grasses. Le terme de foie gras n'est cependant relevé qu'au XVIIIe siècle.

Du latin « ficatum », proprement « jecur ficatum » : foie d'oie engraissé avec des figues.

Ce mot, qui était chez les Latins un terme de cuisine, est devenu, dans toutes les langues romanes, le nom du foie et a fait disparaître complètement le mot propre « jecur ».

Nous extrayons cette citation de l'*Histoire du foie gras* d'Henri Deffarges (Éditions Virmouneix à Thiviers), qui rappelle opportunément que le Périgord a produit de grands diplomates, qui savaient user des charmes de la table pour parvenir à leurs fins et bien sûr le premier d'entre eux : Charles-Maurice de Talleyrand-Périgord.

Deffarges rapporte encore que, dans les livres de cuisine du XVIIIe siècle, on trouve de nombreuses recettes à base de foie gras : « Lequel peut être préparé en ragoût, en crépine, à la cendre, en caisse, à la dauphine ; on en garnit des attelettes (brochettes), avec des ris de veau, il entre dans la composition des « truffes en puits » (truffes creusées et remplies de purée de foie gras) et de divers entremets, où il est mêlé à bien d'autres denrées, en particulier à des champignons. »

*Détail de la cheminée monumentale de la cuisine.*

## LA RECETTE DE FOIE FRAIS MI-CUIT DE CANARD

*(de la maison Bérano à Grignols)*

Pour 8 à 10 parts :
Prendre un foie gras de canard d'environ 550 g, le déveiner et l'assaisonner. Placer le foie dans un bocal en le moulant (atten-

tion au niveau de remplissage). Ajouter une cuillerée à café de cognac ou d'armagnac. Pasteurisation : 40 min à 80°, puis bien refroidir le bocal. Maintenir votre bocal après refroidissement 60 jours maximum au réfrigérateur.

Servir légèrement frais (le sortir du réfrigérateur 15 min avant de le consommer).

## LA RECETTE DE CANARD FARCI AU FOIE GRAS

*(de la maison Bérano à Grignols)*

Prendre un quartier avant de canard de 600 g environ.

Le désosser et le saler au gros sel pendant 12 h. Prendre 200 g de foie gras de canard, le déveiner, l'assaisonner. Escaloper le magret et positionner le foie gras au centre. Rouler le magret et le ficeler comme un rôti. Placer le

magret dans une boîte type 7/5 (100-160). Stérilisation : 2 h 45 à 100°, minimum. Couper en tranches d'un demi-centimètre d'épaisseur pour la dégustation.

## TERRINE DE FOIE GRAS

Prenez un beau foie de canard dans les 600 g, faites-le tremper 1 h dans de l'eau froide puis dénervez-le : séparez les lobes, cherchez les nerfs et retirez-les en les suivant jusqu'au bout ; la température de vos doigts permet le ramollissement de la chair et facilite cette opération. Enlevez les traces verdâtres éventuelles.
Égouttez le foie sur un torchon bien propre.
Assaisonnez-le avec deux cuillerées de sel fin et une cuillerée de poivre. Mettez-le dans un plat creux et arrosez de vin liquoreux de votre choix.
Laissez mariner une demi-journée en le retournant de temps en temps.
Préparez un bain-marie dans un four chauffé à 150°.
Disposez le foie dans une terrine, tassez-le, mettez la terrine au bain-marie frémissant à 70° au plus.
Laissez cuire 40 min.
Sortez la terrine du four, placez une planchette de la même taille dessus, et posez un poids sur la planchette.
Laissez prendre au froid.

Quand le foie est bien refroidi, ôtez le poids et la planchette, récupérez toute la graisse qui a débordé, faites-la fondre et coulez-la sur le foie. au frais pour deux jours.

## FOIE FRAIS AUX RAISINS

Dans une cocotte à fond épais, sur feu ultra doux, déposer le foie gras. Laisser fondre 1 h très lentement, il ne doit pas dorer. Au besoin, se servir d'un réducteur de chaleur. Assaisonner de poivre et, de sel en plus petite quantité que le poivre.
Un quart d'heure avant de servir, enlever la graisse fondue en laissant un peu, égrener des grappes de raisin de votre choix.
Mettez-les autour du foie, émietter de la mie de pain et mettre dans la graisse.
Chauffer le plat de service et déposer le foie, les grains de raisin et la mie de pain.

## PÂTÉ DE PÉRIGUEUX, RECETTE DE 1767

« Prenez deux livres de truffes, douze foies gras, trois livres de panne,

persil, ciboule, champignons hachés ;
dressez un pâté de la hauteur d'un pâté à la ciboulette ; mettez dans le pied de la panne hachée ; mettez par-dessus une couche de truffes coupées en tranches ; assaisonnez de sel fin, fines épices mêlées et fines herbes. Mettez par-dessus une couche de panne et, ensuite, des foies gras coupés par moitié.
Assaisonnez de sel, fines épices mêlées, persil, ciboule, champignons hachés ;
continuez ainsi jusqu'à la fin, que la dernière couche soit de panne. Couvrez de bardes de lard. Finissez le pâté à l'ordinaire ; faites-le cuire et, cuit, servez-le froid pour entremets. »

*Grignols conserve cette rare édition de 1615 de l'*Histoire naturelle *de Pline l'Ancien. On y trouve de tout, par exemple ceci :*
*« En Carnagène de Surie, ils ont trouvé une autre invention. Car ils prennent de graisse d'oie et de Cinnamone, et mettent tout cela en un vase de bronze, lequel ils eftouppent, puis l'enfouissent bien profond dans la neige, chargeants de neige tant qu'ils peuvent, pour confire cette composition à la rigueur du froid. »*

*« 5 jaunes d'œufs humez crus en une hermine de vin sont fort propres aux caqueffanges et aux flux de ventre, avec le bouillon des coques d'œufs, y adioustant de vin et de jus de pavot… leur donne aussi des œufs cuits, broyés avec miel, à ceux qui font travailler de la toux : ou bien on les hume crus, avec du vin cuit, y adioustant autant d'huyle. »*

# HÔTEL DE GÉRARD

## *Réveil à Sarlat*

*« Le blason de la famille de Gérard du Barry ».*

Au cœur de la vieille ville de Sarlat, l'hôtel de Gérard du Barry nous replonge dans un univers quelque peu oublié : celui de l'hôtel particulier. Une demeure en ville, privée, mais ouverte et passagère, et reliée par un fil invisible à quelque domaine campagnard d'où arrivent les victuailles du jardin, de la ferme et des bois. Bref, comme une enclave dont les murs assourdissent le bruit du marché tout proche.

Légué au comte Guy de Gérard du Barry par sa tante qui y était née, l'hôtel de Gérard, inoccupé et plutôt délabré, était une lourde charge, mais aussi un défi à relever. Comment abandonner un patrimoine entré dans la famille en 1517, le 13 janvier, par une donation à Pons de Gérard ? Depuis, l'hôtel de Gérard a été le témoin, parfois l'acteur, de la vie de la cité. Comme en 1587, quand François de Gérard, lieutenant général comme sept autres membres de sa famille, dut défendre Sarlat contre les troupes calvinistes du vicomte de Turennes. Le siège dura dix-sept jours, mais la ville ne fut pas prise. L'hôtel survécut au siège, et aussi à la Révolution. Il passa le XIXe siècle et le XXe à l'image de sa ville. Mal desservie,

*Souvent modifiées, les façades allient le gothique à la Renaissance. La façade arrière est, elle, du XVIIIe siècle et prend ses aises sur le jardin.*

*Le grand évier de la salle basse, avec la couade qui sert à verser l'eau.*

repliée sur son passé, Sarlat sombra dans l'oubli. Rien n'y fit, pas même l'inscription « Chambre de Commerce et d'Industrie » gravée en pierre clinquante sur la façade merveilleuse de l'hôtel où naquit La Boétie.

Et puis est venu le temps des touristes – vous, nous, tout le monde – qui se pressent dans les rues étroites. Le retard de l'urbanisme a fait de Sarlat une ville-musée, que l'on découvre avec une impression de déjà-vu : cette cour, cette rampe d'escalier, combien de films ont-elles servi ! Et Guy de Gérard a réveillé son hôtel. Les multiples portes de la cour ouvrent sur des ateliers et des galeries d'art. Le jardin reçoit des musiciens. On y dîne en été sous les arbres, en plein cœur de la ville et cependant dehors.

# Les carnets de recettes d'Isabelle de Gérard

*Les recettes de l'hôtel de Gérard nous ramènent au temps où la cuisine était l'art simple de mettre en valeur la récolte de la journée.*

En léguant à son neveu l'hôtel de Gérard, sa tante n'a pas manqué d'y adjoindre le complément : une demeure sur la Dordogne, avec le potager qui a alimenté ses recettes. Et aussi la manière de s'en servir, ces carnets retranscrits toute sa vie. Nous avons dû en choisir quelques recettes, c'est-à-dire en éliminer des centaines, et ce n'était pas facile !

## Les liqueurs

### APÉRITIF POUVANT REMPLACER LE PORTO

Épluchez six oranges, mettez le zeste dans un demi-litre de bonne eau-de-vie ; laissez infuser quinze jours. Au bout de ce temps, ajoutez à ce mélange deux litres de bon vin blanc, dans lequel vous aurez fait fondre 500 g de sucre.
Ou, plutôt, une fois le sucre fondu dans le vin, ajoutez le demi-litre d'eau-de-vie ; laissez le zeste dans la bouteille quand le mélange est bien fait, filtrez et mettre en bouteilles ; le vin gagne en vieillissant.

### VIN DE NOIX

Trente noix ramassées le 24 juin, coupées en quatre, mises à macérer avec cinq litres de bon vin un litre d'eau

de vie à 45° (Madame D. emploie de l'alcool industriel de pharmacie qui est sans goût ; comme il est à 90°, elle le dédouble avec de l'eau de citerne), un kilo de sucre. Oublier 6 mois. À la Noël, on le filtre et on le laisse déposer 6 mois encore. Refiltrer. Se sert en apéritif, très bon ; plus fin mais plus long et plus coûteux

que la recette suivante :
Un litre ou un bocal de chatons de noix ramassés par terre (les plus verts), recouvrir d'alcool à 45° (90° dédoublé). Laisser un mois. Filtrer.
Pour usage, mélanger un litre de bon vin, 10 à 14 morceaux de sucre et un verre de liquide de noix.

# La cuisine du jardin de Guy et Ariane de Gérard

### LA SOUPE D'OR

Couper de la citrouille en morceaux assez petits, une tasse à café de riz pour 4 personnes. Mettre dans une casserole une couche de citrouille, une couche de riz, une pincée de sel et de sucre, etc. Recouvrir d'eau et laisser bien cuire à petit feu.

Surveiller attentivement, la citrouille s'attrapant vite à la casserole et il ne faut pas mettre trop d'eau. Quand le tout est cuit, passer à la passoire cette purée qui ressort comme une crème, y mettre du beurre et ajouter du lait bouillant en remuant vivement pour bien mélanger, jusqu'à ce qu'on ait la consistance d'une crème épaisse.

### LA TOMATE MIMOSA

*(cuisine sans feu)*

Petites tomates coupées en deux, vidées presque entière-

ment ; garnir au ras avec thon manié avec du beurre. Saupoudrer avec du jaune d'œuf mimosa. Planter dans chaque tomate : un brin de persil, d'estragon, de violette fleurie, un bouton de capucine, etc.

## HARICOTS VERTS MIMOSA

Faire cuire des haricots verts et les assaisonner légèrement avec huile et vinaigre. Faire une mayonnaise et durcir des œufs. Verser les haricots dans le plat et les décorer avec une couronne de demi-œufs durs remplis de mayonnaise. Les jaunes passés au tamis recouvrent entièrement les haricots et simulent les grains du mimosa, et on imite la feuille avec du persil.

## TIMBALE D'AUTOMNE

Pour 6 personnes : couper trois aubergines en tranches minces et les faire dégorger dans du sel puis revenir au beurre. Couper 750 g de champignons de Paris bien frais en dés, les faire sauter dans le beurre où ont cuit les aubergines. Réunir, lier avec un verre environ de purée de tomates, saler, poivrer. D'autre part, faire cuire 150 à 160 g de macaronis

à l'eau salée ; bien égoutter et assaisonner avec un morceau de beurre et du gruyère râpé. Garnir le fond et les parois d'un moule à timbale bien beurré avec du râpé. Mettre au centre les aubergines et les champignons, recouvrir le dessus d'une couche assez épaisse de préparation de macaroni. Faire prendre au bain-marie ou au four chaud. Puis démouler, saupoudrer de fromage râpé ; colorer à la pelle rougie et servir. Inédit !

## ANGURIE DE BELLEY

Cette pastèque à grains rouges est à peau lisse vert noir et zébrée de bandes vert clair ; couper les anguries en tranches, les peler, enlever les graines et la partie de pulpe molle et sans consistance. Faire cuire ces tranches dans de l'eau bouillante jusqu'à ce que, devenues flexibles, les extrémités puissent se toucher en les rapprochant. Les déposer sur des linges étendus dans des corbeilles et laisser égoutter pendant 36 h. Placer dans une bassine de cuivre, poids égal de sucre et un verre d'eau par livre. Mettre sur le feu, le sucre étant fondu, ajouter les anguries, huit clous de girofle par livre,

de la cannelle en quantité suffisante pour en donner le goût au sirop et des morceaux d'orangeat destinés à parer la confiture. Elle est cuite lorsque le sirop fait la perle. Les anguries mises en pots doivent être masquées par le sirop ; en ajouter de froid s'il en manque. Cette confiture du plus beau vert émeraude s'améliore en vieillissant ; on peut la conserver plusieurs années, une addition de fine champagne lui donne du montant et la rend meilleure. On l'aime avec passion ou on la déteste.

## ESSENCE DE TRUFFES

Dans un petit flacon d'eau-de-vie, mettre des épluchures de truffes. Laisser macérer. L'eau-de-vie se colore, se parfume et fait merveille dans les sauces.

## LES CAPUCINS DE NOS CAMPAGNES FARCIS À LA ROYALE

Prendre un lièvre frais, pas trop abîmé, le vider, le désosser complètement, l'étendre sur la table, l'assaisonner de sel, poivre, muscade. Mettre une couche de viande de porc assaisonnée

de morceaux de noix de veau
intercalés par du lard,
des tranches de foie gras sur
toute la surface que l'on pique
de truffes et remettre une
couche de veau et lard
ainsi que de la viande hachée.
Coudre la galantine.
La mettre à braiser avec
mirepoix et débris d'os
de lièvre, mettre un peu
de farine ; le glacer au madère
et mouiller avec
du consommé.
Enlever la galantine une fois
cuite et laisser réduire.
Lier la sauce avec le foie haché
et le sang du lièvre, passer
à l'étamine, ajouter les truffes
émincées.

## CANARD ISABELLE

Plat froid :
faire braiser un beau canard
rouennais dans un bon fond
de madère.
Une fois cuit,
bien dégraisser le fond
et laisser refroidir.
Découper l'estomac
du canard en aiguillettes.
Faire une bonne sauce
chaud-froid avec le fond,
en saucer les aiguillettes
et placer sur une plaque
à refroidir.

D'autre part, faire une bonne
farce à gratin bien
assaisonnée ; la monter à la
crème fraîche sur glace en y
ajoutant une purée
de foie gras.

Emplir la carcasse du canard
avec cette farce.
Replacer les aiguillettes
couvertes de la sauce
chaud-froid sur la farce
et bien reformer le canard.
Napper le tout avec une gelée
faite avec le fond de cuisson.

Farce à gratin :
500 g de foie de veau
et foies de canard,
500 g de lard gras
et frais coupés en morceaux ;
faire sauter le tout à la poêle
sans laisser durcir ;
bien assaisonner de thym,
laurier,
persil,
sel,
poivre et muscade.
Puis passer au tamis.

## POÊLÉE DE CHAMPIGNONS SAUVAGES

Simplissime :
dans une grande poêle,
faites chauffer
de l'huile d'olive ;
quand c'est très chaud,
jetez les champignons
(nettoyés et émincés).
Laissez à feu vif,
remuez, salez et poivrez.
Baissez le feu
et laissez cuire
pendant 10 min.
Parsemez de hachis
de persil plat.

On peut aussi ajouter de l'ail
menu ou de l'échalote ciselée.

## LES POMMES DE TERRE SARLADAISES

À l'hôtel de Gérard,
elles se cuisinent comme ceci :

Épluchez un kilo de
pommes de terre fermes
pour 6 personnes,
lavez-les et séchez-les
très bien.
Découpez-les en rondelles
d'un demi-centimètre
d'épaisseur au plus.
Dans une cocotte à fond épais,
faites fondre trois bonnes
cuillerées de graisse d'oie
ou de canard à feu vif ;
quand elle bien chaude,
versez-y les pommes de terre,
salez, couvrez et, à feu doux,
laissez-les cuire environ
30 min.
Retournez-les ensuite
délicatement.
Ajoutez éventuellement
un peu de graisse.
Ajoutez un peu d'ail haché,
quelques cèpes en petits
morceaux, salez et poivrez,
et recouvrez encore pendant
une dizaine de minutes.
Terminez à découvert à feu vif
en les retournant encore.
Parsemez de persil haché.
Elles sont accompagnées de
truffes hachées ou cèpes
hachés menu.

*La demeure près de la Dordogne
est le complément champêtre
de l'Hôtel de Gérard.*

# MONTRÉAL

## Une maison forte

*Vue de la façade nord du château :*
*un peu de Renaissance entre les douves et les murailles.*

*L*e château de Montréal se voit de loin : il domine la vallée de la Crempse. De la forteresse édifiée au XIIe siècle, restent une puissante enceinte de remparts et des souterrains. Un bel escalier en voûte brisée donne sur la salle des gardes souterraines, qui ouvre sur une grotte naturelle, d'où part le souterrain. Nous en sommes restés là, mais il est certain que, comme tout château médiéval, Montréal avait des issues cachées. Les premiers tenants de Montréal faisaient la guerre, mais les temps ont heureusement évolué : le propriétaire actuel, le comte Bernard de Montferrand, est diplomate.

C'est en 1430 que le château primitif, alors aux mains des Saint-Astier qui avaient pris parti pour les Anglais, fut rasé par le seigneur de Grignols. Il passa ensuite à la famille de Peyronnec puis, par mariage, aux Pontbriand. De trois frères Pontbriand, l'un était chambellan de Louis XI, l'autre chanoine de Notre-Dame de Cléry, la basilique où le roi se fit enterrer. Le dernier était échanson du dauphin, mari d'Anne de Peyronnec et bâtisseur du château actuel. Il a sûrement bénéficié des conseils de son aîné, qui avait aussi gouverné le château royal de Blois et les premiers travaux de Chambord. La façade nord de Montréal, avec ses élégantes fenêtres à meneaux cruciformes encadrées de colonnettes, est une citation de la Renaissance au pays des forteresses.

*Adossés au mur d'enceinte, les communs forment comme une rue verdoyante, qui culmine avec la chapelle.*

*La bibliothèque en rotonde est installée dans la tour d'angle. Elle renferme une importante collection d'ouvrages et le livre d'or de Montréal.*

Le château fut reconstruit de 1520 à 1540. En même temps, fut édifiée la chapelle. À l'image du site, elle allie un aspect extérieur défensif et des éléments Renaissance, dont un très bel ensemble de statues. On y voit une Sainte Épine de la couronne du Christ, prise de guerre sur le général anglais Talbot au soir de la bataille de Castillon en 1453, qui marqua la fin de la guerre de Cent Ans. Cette chapelle abrite aussi les corps de Pierre de Pontbriand et de son épouse, et de nombreux membres de la famille de Montferrand.

En 1639, les Pontbriand vendirent Montréal à la famille du Chesne, de Périgueux. Un siècle plus tard, il passa par héritage aux Faubournet de Montferrand, originaires de l'Entre-deux-Mers tout proche, et bientôt titrés marquis de Montréal. Depuis, il n'a plus quitté la famille.

Le château de Montréal domine toujours la vallée de la Crempse, mais c'est une demeure de charme : en enfilade, après la salle à manger, trois salons ouvrent de plain-pied sur la terrasse leurs boiseries d'époques et de styles successifs. Une tour abrite une riche bibliothèque. Et les menus que nous reproduisons sont ceux des rassemblements familiaux.

## Montréal

La famille de Pontbriand a fourni de grands marins. Claude de Pontbriand, dit Montréal du nom de son château, était avec Jacques Cartier, le 3 octobre 1535, lors d'une expédition de découverte du Saint-Laurent. Près de la cité royale indienne nommée Hochelaga, Cartier donna à une montagne le nom de Montréal. On le sait, c'est aujourd'hui la capitale du Québec, qui doit son nom à un gentilhomme mi-breton, mi-périgourdin.

# Deux repas d'hier au château de Montréal

## Menu du 26 septembre 1945

*Consommé*
*Bar, sauce hollandaise*
*Noix de veau,*
*sauce Périgueux*
*Cèpes cyrano*
*Chaud-froid de volaille*
*Glace plombières*
*Gâteaux*

### NOIX DE VEAU SAUCE PÉRIGUEUX

Sauce Périgueux :
Préparation de la demi-glace :
mélanger 5 dl de fond brun lié
et 8 dl de fond brun clair.
Faire réduire des deux tiers,
en dépouillant constamment et
avec beaucoup de soin. Retirer
du feu et ajouter 5 cl de
madère et passer à l'étamine.
Ajouter 1,5 dl d'essence de
truffe et 100 g de truffe
hachée. Faire dorer à feu vif
une noix de veau dans une
cocotte sur fond de graisse
d'oie ou de canard. Qu'elle
soit dorée sur toutes ses faces.
Baisser le feu, saler et poivrer.
Laisser mijoter, avec un peu
d'eau éventuellement pour
qu'elle ne dessèche pas,

à couvert et
ce pendant 1 h,
pour 1 kg. Sortir la
noix, la découper et
la tenir au chaud.
Ajouter la sauce Périgueux
dans le jus de cuisson. En napper les tranches de veau.

Autre manière de confection-
ner la sauce Périgueux, de
façon moins « professionnelle »
et plus domestique : Dans une
première casserole, faites revenir à la graisse deux ou trois
échalotes finement hachées.
Ajoutez un bon verre de vin
blanc et un verre à liqueur de
madère ou d'eau-de-vie, que
vous faites flamber.
Dans une deuxième casserole,
faites revenir un oignon émin-
cé dans de la graisse, ajoutez

une bonne
cuillerée de farine, faites rous-
sir et mouillez avec de l'eau ou
du bouillon (plutôt du
bouillon).
Laissez une petite ébullition.
Mélangez le contenu des deux
casseroles et laissez mijoter
30 min en remuant de temps
en temps. Puis, passez la sauce
au chinois. Épluchez une belle
truffe : coupez-la en dés.
Mettez à cuire les épluchures
dans la sauce passée, et ajoutez les dés de la truffe en dernier lieu, pour qu'elle garde
son odeur.

# Menu du 8 mai 1959

*Potage velouté*
*Lotte a l'américaine*
*Filet de bœuf renaissance*
*Foie gras en gelée*
*Cœurs de laitues*
*Parfait glacé*

## FOIE GRAS EN GELÉE

Confection de la gelée de viande : Dorez au four un kilo de gîte de bœuf et 500 g de jarret de veau coupés en tronçons, un pied de veau plus 500 g d'os de veau et une demi-livre de couennes dégraissées. Épluchez et émincez trois oignons moyens, 250 g de carottes, et un gros poireau. Mettez tous ces légumes dans un grand fait-tout ainsi que toutes les viandes, les os et couennes attachées, un gros bouquet garni, une cuillerée à soupe rase de sel fin et du poivre.

Mouillez de 5 l d'eau et portez le tout à ébullition. Écumez, ajoutez une louche d'eau très froide et laissez frémir durant 3 h.

Préparez une passoire avec un linge très fin et versez-y doucement le liquide.

Laissez refroidir et mettez au réfrigérateur afin, d'enlever par la suite la couche de graisse. Clarifier ensuite le bouillon avec 200 g de viande de bœuf maigre, deux blancs d'œufs et un bouquet d'herbes aromatiques, style estragon, cerfeuil… ; portez progressivement à ébullition le bouillon avec ces éléments ; le blanc d'œuf en coagulant emprisonne tous les éléments troubles du liquide. La viande maigre et la garniture aromatique permettent de compenser l'affadissement du bouillon.

On peut ensuite aromatiser la gelée avec du madère, du porto ou autre vin puissant. Cette préparation est relativement longue mais garantit la saveur de la gelée. Mais on trouve des gelées lyophilisées prêtes à l'emploi. Il suffit de se conformer au mode d'emploi. Prenez un foie gras mi cuit, trouvez un moule qui correspond à sa taille. Placez une couche de gelée dans le fond. Mettez au réfrigérateur pour qu'elle prenne ; placez ensuite le foie gras mi-cuit, reversez de la gelée, afin de bien recouvrir le foie gras. Mettez au réfrigérateur et laissez prendre au froid.

# Les recettes
# de Madame de Montferrand

## CONFIT DE CANARD
## AUX CÈPES

Dans une large poêle, faites
fondre de la graisse de canard
et déposez les confits, à feu
vif, pour faire dorer de part en
part ; puis baissez le feu.
Pendant ce temps, nettoyez les
cèpes et émincez-les. Ajoutez-
les autour des confits, s'il y a
de la place, sinon faites-les
cuire dans une autre poêle.
Salez et poivrez et ajoutez un
peu d'ail haché et du persil
également haché. S'ils rendent
beaucoup d'eau, finissez leur
cuisson à feu vif sans les
confits, qui, eux, seront main-
tenus au chaud.

## ASSIETTE
## DE TROIS CÈPES

CÈPES FARCIS : 2 beaux cèpes
« bouchons » (gros),

1/2 tranche de Jabuco (jambon
espagnol), 1/2 échalote
hachée, 1 cuil. à café de persil
plat haché, du thym, du laurier, 1/2 gousse d'ail écrasée,
1 dl de bouillon de volaille.
Évidez à l'aide d'une cuillère à
pomme parisienne le pied d'un
des deux cèpes.
Faire suer au beurre l'échalote
hachée, puis ajouter l'autre
cèpe taillé en très fine brunoise
(petits dés), ainsi que le Jabuco
également taillé en fine brunoi-

se. Assaisonner de sel et de
poivre.
Farcir le pied de cèpe et le
déposer dans un sautoir
grassement beurré et mouillé
avec le bouillon. Ajouter le
thym, laurier et l'ail.
Cuire à couvert pendant
45 min environ dans un four
à 180°.

CÈPES MARINES :
3 beaux cèpes pas trop grands,
1,5 dl d'huile d'olive vierge,

*Une assiette de Moustiers.*

*Une assiette de Moustiers.*

5 cl de vinaigre de vin blanc,
1/2 gousse d'ail, thym, laurier.
Couper les cèpes en lamelles
de 1 à 2 mm d'épaisseur. Les
faire sauter dans l'huile d'olive
bien chaude. Assaisonner et
ajouter l'ail écrasé, le thym et
le laurier. Déglacer au vinaigre
de vin blanc et débarrasser
dans une plaque.
Faire mariner 24 h.
Servir tiède.

CÈPES CRUS : tailler 2 cèpes
en julienne (fins bâtonnets) et
assaisonner de sel, poivre et
de 1 filet de marinade de cèpe,
ainsi que de la ciboulette finement hachée. Dresser les trois
préparations sur une grande
assiette et déguster en com-
mençant par le cru et terminer par le plus cuit.

## MIROIR FRAISE

1/4 l de sirop à 33° Beaumé
(1/2 sucre, 1/2 eau,
le tout bouilli)
1/4 l de purée de fraises
non sucrée
15 g de
gélatine
(+/- 7 feuilles)
175 g de crème fraîche
75 g de lait entier
Faire tremper la gélatine dans
l'eau froide pour la ramollir et
la faire gonfler.
Faire bouillir le sirop de sucre
et y ajouter la gelée
préalablement pressée pour
en faire sortir un maximum
d'eau. Faire un bouillon et
bien mélanger au fouet.
Verser le sirop sur la purée de
fraise, bien mélanger
au fouet et attendre que ce
mélange arrive à température
du corps (+/- 37°).

Pendant ce temps, enrouler l'intérieur d'un cercle de pâtisserie de Rhodoïd (bande de plastique), couper quelques fraises en deux et les disposez contre le bord du cercle. Disposer au centre du cercle un disque de génoise. Battre la crème et le lait en chantilly ferme mais attention de ne pas les transformer en beurre. Mélanger la purée de fraises, en réservant une petite partie pour le glaçage et la crème, et verser dans le cercle jusqu'à 2 ou 3 cm du bord. Laisser prendre au congélateur quelques heures, puis y verser la gelée de fraise liquide mais pas chaude et garder au réfrigérateur. Décercler et servir bien froid.

## MACARONS AU CHOCOLAT

Pour plus ou moins 40 pièces doubles.

250 g de tant pour tant (1/2 sucre glace, 1/2 amandes en poudre) 38 g de sucre glace 20 g de cacao 112 g de blanc d'œufs. Tamiser le tant pour tant et le cacao. Monter les blancs en neige. Lorsque les blancs commencent à mousser, ajouter les 38 g de sucre glace. Mélanger la poudre passée au tamis et les blancs d'œufs à la

*Détail d'un pastel de Pupille de Mian.*

*La salle à manger de Montréal, propice aux réunions familiales. On la retrouve peinte sur une toile accrochée au mur.*

Coller deux macarons ensemble à l'aide d'une ganache, à température ambiante, faite de 100 g de crème fraîche bouillie, que l'on versera sur 100 g de chocolat noir fondu.

spatule très délicatement, de façon à ne pas casser les blancs.

Quatre coins d'une plaque allant au four, faire un petit tas de mélange pour coller une feuille de papier sulfurisé. Dresser immédiatement, à la poche à douille non cannelée, des petits tas.

Soulever la plaque de quelques centimètres de haut et la laisser retomber sur le plan de travail et recommencer l'opération deux fois, de façon à aplatir les macarons.

Faire sécher les macarons, minimum 2 h dans une étuve à +/- 40° ou dans une pièce très chauffée.

Cuire les macarons dans un four préchauffé à 170° pendant 4 à 5 min.

Sortir la plaque du four et faire couler un filet d'eau froide entre la plaque et le papier sulfurisé pour que les macarons soient moelleux à l'intérieur.

Laisser refroidir et décoller.

*Macarons au chocolat.*

# RICHEMONT

## La maison de Brantôme

*La cuisine privée. Potager, cheminée, réserves en tous genres, la cuisine de Richemont est le cœur de son domaine. Melon d'Espagne, citrouille, filleul (qui est l'appellation locale de la coulemelle) viennent du potager et des bois du domaine.*

*La salle à manger.*

*Portrait de Brantôme, au-dessus de la cheminée de la salle à manger.*

**P**ierre de Bourdeille est né, à peu de chose près, en 1535. Il est mort le 5 juillet 1614, au terme d'une vie bien remplie. Richemont, il l'a choisi et construit comme une demeure de famille à la campagne, un contrepoint à une vie aventureuse. Abbé de Brantôme, une abbaye fondée par Charlemagne qui s'enorgueillit du plus vieux clocher du royaume, chevalier gentilhomme du roi Charles IX et du roi Henri III, « nonobstant toutes ces grandeurs, il n'a jamais eu de repos et contentement en ce monde, suffi une âme généreuse n'en pouvoit avoir que dans le ciel ». C'est l'épitaphe de Pierre de Bourdeille dit Brantôme, telle qu'elle figure dans la chapelle du château où il repose. Elle est bien évidemment signée de lui. Ce curieux personnage avait choisi son château non loin de son abbaye. Il y fit construire un donjon qui affirme son autorité, mais les longues ailes sont une reconnaissance des temps : ce n'est plus une forteresse du Moyen Âge mais une

*Le château de Richemont est largement ouvert sur la campagne alentour… C'est le siège d'un domaine rural.*

*Côté cour, avec ses longues façades croisées, le château de Richemont donne l'image d'une propriété de campagne.*
*De plain-pied la cuisine, les services et, sous le donjon, la chapelle de Brantôme où il est enterré.*
*À l'étage, : les salons et les chambres. Et au-dessus, sous une charpente impressionnante, les greniers à grain.*

villa de campagne entourée de ses fermes, et dont l'enceinte abrite celliers, four à pain, verger et jardins.

Le château de Richemont passa ensuite à la nièce de Brantôme et, par succession, à la famille de Traversay qui en est l'actuelle propriétaire.

## Les dames galantes

Abbé de Brantôme mais laïc, aventurier qui s'enlise à Brouage pendant la Saint-Barthélemy, corsaire en Italie, militaire un peu partout, puis estropié d'une chute de cheval et écrivain forcé, Pierre de Bourdeille a cherché la gloire de tous bords. Elle lui est finalement venue, non pas de ses faits mais de ses écrits : pas même de ses *Vies des hommes illustres* mais des *dames galantes*, un recueil dont on parle souvent mal, pour ne l'avoir pas lu. Disons-le tout de suite : cela ne nous semble pas de la grande littérature, et Brantôme est, en tout cas, bien moins subtil dans la grivoiserie que son ami Ronsard. Mais c'est l'un des premiers, et peut-être le plus fort, ouvrages de sexologie de notre pays, écrit par un confident à l'oreille fine qui accumule les « je me suis laisser conter » et les « j'ai cogneu une belle femme » qui en disent long sur l'entregent et la science des glaces sans tain. On y apprend que les mœurs du XVIᵉ siècle étaient nettement plus délurées qu'aujourd'hui. Et ce n'est pas un livre que l'on peut citer dans un livre de cuisine. Quoique… une petite historiette, quand même ? Abrégée, alors ! « J'ai cogneu (connu) un prince qui achepta une très-belle coupe d'argent doré (…) où étaient taillées (…) plusieurs figures de l'homme et de la femme, et aussi plusieurs manières de cohabitations de bestes. Quand ce prince festinoit les dames et les filles de la cour (….) ses sommeliers ne failloyent jamais de leur bailler à boire dedans (…). Les unes demeuroyent estonnées et ne sçavoient que dire là-dessus ; aucunes demeuroyent honteuses, et la couleur leur sautoit au visage ; aucunes s'entredisoyent entr'elles : « Qu'est-ce que cela qui est gravé là-dedans ? Je crois bien que ce sont des sallauderies. Je n'y bois plus. J'aurois grand soif avant que j'y retournasse boire ». Mais il fallait qu'elles beussent là, ou bien qu'elles esclatassent de soif. »

La suite, vous la trouverez dans *Vies des dames galantes*.

# Un repas d'automne au château de Richemont

Un jour d'automne à Richemont. Les arbres du parc perdent leurs feuilles. Les poules viennent chasser sur la pelouse. Dans la cour, le fermier lave ses barriques pour y entonner le vin nouveau. Un vin qui, dit-il, n'est jamais très bon (le sol n'est pas très favorable), et qui « file » parfois avant le printemps. Mais on le fait quand même, puisqu'on l'a toujours fait. Jullien, en 1866, qualifiait les vins de Brantôme, Bourdeilles, etc., d'une couleur convenable et « d'assez de spiritueux », les mettant en seconde classe, ce qui n'est pas si mal !

Nous sommes invités au château de Pierre de Bourdeille, dit Brantôme.

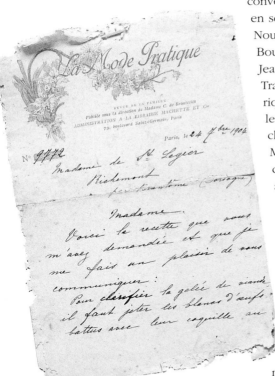

Jean-François Prévost de Sansac, marquis de Traversay, conduit la visite des chambres historiques du château, que l'on suit en patins, car les planchers sont vieux et fragiles et, bien sûr, classés. Ses sœurs, Geneviève de Traversay et Marie-Henriette de Ravinel, ont sorti les vieux carnets de recettes. Le reste de la fratrie est avec eux par la pensée. Marcelle, dont le père fut jardinier à Richemont, est venue aussi et son mari Abel, qui connaît tous les arbres du verger.

La salle à manger est austère, et nous la réserverons pour les photographies. Nous lui préférons la vieille cuisine de plain-pied sur la cour, avec un bon feu dans la grande cheminée, et des bancs autour de la vieille table. Richemont, un château ? Certes oui, si l'on considère son portail. Mais d'abord une maison de famille, telle que Brantôme l'avait créée pour y vivre et y reposer ; une maison où l'on se raconte les souvenirs d'enfance en prolongeant par des châtaignes grillées les plaisirs du repas. Et les souvenirs d'enfance peuvent remonter loin, quand on est ici depuis treize générations. On goûtera plusieurs vins, certains venant de vieilles propriétés de famille en Bordelais. Et on discutera de la cuisine et des cuisines, et, par hasard, au vu d'un vieux mortier, reviendra la recette de la vraie purée d'autrefois.

## COMMENT GRILLER
## LES CHÂTAIGNES

Fendez toutes les châtaignes
pour éviter qu'elles n'éclatent
au feu. Éliminez celles qui sont
molles et celles qui sont
percées d'un petit trou
sphérique :
il y a déjà un ver dedans.
Mettez-les dans une poêle à
trous et sur les braises, 5 min,
et les bougeant de temps en
temps pour les retourner.

Ne craignez pas qu'elles
prennent un peu la flamme et
deviennent noires, elles n'en
seront que mieux saisies.
Mangez tout de suite en vous
brûlant un peu les doigts, surtout s'il fait froid.

## CONFITURE
## DE CHÂTAIGNES

*(recette des vieux carnets
de Richemont)*
Enlever la grande enveloppe

des châtaignes, les faire bouillir
puis les peler et les écraser
dans un tamis.

Faire un sirop cristallisé,
dans une bassine, dans les
proportions de trois quarts
de livre de sucre pour 30 cl
d'eau puis mettre une gousse
de vanille dans ce sirop.

Mêler la purée au sirop jusqu'à
ce que ce soit bien amalgamé,
faire cuire et mettre en pots.

## FARCIS À LA BARIGOULE

*(comme dans le menu de 1891)*

Parez trois artichauts, coupez droit les feuilles du dessus, faites blanchir assez pour retirer le foin après les avoir rafraîchis à l'eau froide. Remplacez le foin par une farce de lard gras, champignons, persil, échalotes, le tout haché fin, poivre ; liez-les en croix avec de la ficelle. Faites chauffer un peu d'huile d'olive dans une poêle et rissolez les artichauts dessus, dessous ; placez-les dans une casserole sur une tranche de lard dessalé ou de veau (ou du beurre) et un verre de bouillon ou d'eau ; faites cuire, feu dessus et dessous. Servez sans les tranches et sur une sauce faite du fond de cuisson liée avec de la farine.

## ARTICHAUTS SECS

Après avoir épluché avec soin les fonds d'artichauts, on les plonge au fur et à mesure dans de l'eau fraîche ou, mieux, dans de l'eau acidulée, puis on les fait bouillir (à moitié cuire) dans un chaudron de cuivre ou une casserole de terre (pas de fer). On les met ensuite à bien égoutter sur des linges, puis on les range sur des claies et on les met dans un four très doux (2 h après avoir retiré le pain).

*Les bonnes conserves de Richemont, sur le potager de la cuisine.*

## GALANTINE DE DINDE

La galantine est une préparation à base de volailles, additionnée d'une farce, préparée avec de la chair de porc hachée, du foie gras de canard ou d'oie et de truffes coupées menu. Elle se sert froide en entrée.

Désossez la dinde en prenant les quatre membres et les filets de la carcasse, en protégeant la peau qui vous servira à envelopper la galantine. Détachez la chair délicatement des os avec un canif, enlevez les nerfs. Vous salez et poivrez l'intérieur des quatre membres et laissez imprégner.

Préparez une farce avec chair de porc hachée, foie de canard, truffes, sel, poivre et parfumez-la avec du cognac et un peu de muscade. Tapissez-en l'intérieur de votre galantine. Refermez la volaille en étirant la peau et cousez-la, pour faire une boule allongée à la forme de votre boîte de ferblanc qui doit la recevoir.

Puis préparez un bouillon avec les abattis et la carcasse de la dinde : dans un faitout, faites cuire ces os avec quelques verres d'eau, vous salez, ajoutez carottes ; céleri, etc., et un pied de veau, fendu en deux. Laissez cuire 1 h 30 jusqu'à ce que le bouillon soit suffisamment réduit.

Couvrez votre galantine avec ce bouillon, qui sera la gelée tremblante qui l'accompagnera dans sa présentation. Après sertissage, mettez à stériliser 2 h 30 ; veillez à ce que l'eau recouvre toujours les boîtes pendant la stérilisation ; ne laissez pas refroidir les boîtes dans l'eau.

## MERINGUES

*(recette d'Adèle Debat)*

Pour une quinzaine
de meringues (petite taille,
elles sont bien meilleures).
Un blanc d'œuf et un verre
à eau pas tout à fait plein
de sucre.
Battre en neige au fouet
électrique dans un récipient
pouvant être mis dans un bain-
marie (un batteur électrique
qui « peut marcher tout seul »
est mieux, car il faut battre
longtemps !).
On peut mettre le récipient
dans une Cocotte Minute
ou dans une grande casserole.
Dès que le mélange commence
juste à être battu et à monter,
verser de l'eau chaude très

## LA PURÉE
## COMME AUTREFOIS

C'est assis sur les marches de
la cuisine, le mortier entre les
jambes, qu'avec un gros pilon
se faisait la purée de pommes
de terre de Richemont. Les
pommes de terre ont cuit toute
la matinée sur le coin du four-
neau à bois. Puis, elles sont
pilées au mortier en tournant
régulièrement le pilon avec du
lait et sa crème brute. D'aspect
plutôt marron, elle avait, nous
dit-on, un goût inégalable et…
inégalé.

*La reine de Saba et les meringues,*
*dans la salle à manger*
*de Richemont.*

doucement, tout en continuant de battre dans la cocotte ou la grande casserole, pour faire le bain-marie : les blancs montent alors bien plus vite, car le sucre fond tout doucement en même temps.

Pour des meringues au chocolat, ajouter un peu de chocolat râpé (uniquement râpé). On peut mettre aussi des tout petits bouts de noix (en fait, ce qu'on veut).

Dès que le mélange est bien monté, mettre des petits tas sur une plaque (Adèle prend un carton recouvert de papier sulfurisé) et mettre au four le plus bas possible (Adèle ne les réussit que dans sa cuisinière à bois). Dès qu'elles sont « éclatées », prises, Adèle met dessus, dans le four, un plateau rempli d'eau. Elle laisse les meringues toute la nuit dans le four.

## REINE DE SABA

Casser en morceaux menus 125 g de bon chocolat et les mettre à ramollir près du feu. Mêler avec 60 g de bon beurre liquéfié. Mettre ensuite trois jaunes d'œufs, deux cuillerées de farine et 120 g de sucre en poudre. Le tout bien mêlé, y ajouter une tasse à café d'amandes pilées puis trois blancs d'œufs battus en neige. Parfumer au goût de chacun. Faire cuire au four dans une tourtière beurrée et servir froid.

## GAUFRES

Mettez dans une terrine un demi-litre de farine, avec un trou au milieu, deux pincées de sel, une cuillerée d'eau-de-vie ou un autre parfum, une d'huile d'olive, trois jaunes d'œufs et deux blancs, deux cuillerées de sucre en poudre, râpure d'écorce de citron, d'orange ou d'eau de fleur d'oranger, quatre-épices à volonté, 60 g de beurre tiède. Délayez la farine en tournant au milieu sans déranger les bords, et sans qu'il y ait un seul grumeau ; mouillez peu à peu avec du bon lait, jusqu'à ce que la pâte soit comme une bouillie épaisse mêlez-y un blanc d'œuf battu en neige. Faites chauffer, des deux côtés, sur un feu sans fumée, un moule à gaufres ordinaires ni trop minces ni trop épaisses. Lorsqu'il est bien chaud, sans être rouge, enduisez l'intérieur de beurre renfermé dans un nouet de grosse mousseline ; versez-y de la pâte, fermez-le sans le serrer, faites chauffer de 1 à 2 min, de chaque côté, selon l'ardeur du feu, ébarbez les bords avec un couteau, regardez si la gaufre est blonde et retirez-la. Un peu d'habitude apprendra le degré de chaleur et le temps. Faites cuire peu pour les manger chaudes : cuisez plus pour les servir froides. Saupoudrez de sucre en servant chaud ou froid.

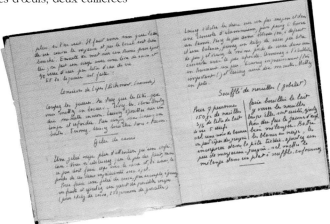

Lettre de Pierre de Mareuil, abbé de Brantôme, à Monsieur de Lanssac :

*« J'ay espérance que bientost, je vous auroy toujours au bec par plus grande souvenance, en mangeant des mellons de vos jardins, et encore n'en ayant point heu, mays Monsieur de Richemont, nostre bon cousin, m'en a fait manger des bons dès la fin de juin… »*

# LACYPIERRE

## *Un manoir tranquille*

*La cuisine extraordinaire de Lacypierre est installée dans un lit clos !*
*Un chef-d'œuvre auquel ont collaboré des artisans de toutes formations.*
*Les ferrures ont été recréées sur un modèle trouvé dans les caves.*

On découvre Lacypierre au fond d'un vallon envahi de verdure. Le village attenant se compose d'une vieille église avec son cimetière, d'une fontaine et de quelques maisons, tout cela bien tranquille dans la campagne boisée de l'est du Périgord. Mais le château revient de loin.

Dès sa construction au XV<sup>e</sup> siècle par la famille Bessie de Lacypierre, proche du pape Jean XXII (pape d'Avignon, né à Cahors dont dépendait Saint-Crépin-de-Richemont), la tour d'escalier se mit à pencher : elle présente aujourd'hui un faux aplomb de trente centimètres, heureusement stabilisé. L'arrière de la maison est construit sur la pierre, mais l'avant sur une terre glaiseuse, ce qui n'a pas facilité sa stabilité. La toiture est en lourdes lauzes, posées une à une selon un savoir-faire ancien, d'un poids total de cent tonnes.

La famille Bessie de Lacypierre s'est éteinte en 1826, à la mort de Guillaume, émigré en 1792 et de retour sur ses terres en 1802. Depuis, le château fut revendu et occupé en ferme, sans l'entretien nécessaire, jusqu'à ce que Monsieur et Madame Lebon viennent de Sarlat pour le sauver. D'énormes travaux de consolidation ont été entrepris. Ils sont invisibles ; en trente ans, Lacypierre a rattrapé son retard : c'est aujourd'hui une demeure agréable à vivre, où des prouesses d'artisans permettent de vivre comme aujourd'hui dans

*Sol en pisé de cailloux, grande cheminée aux armes des Lacypierre : « d'azur à trois besants d'or, un croissant en abyme », la cuisine du XV<sup>e</sup> siècle a retrouvé sa pureté originelle. L'utilitaire est dissimulé dans le lit clos ! Service « chasse » de Vieillard à Bordeaux, XIX<sup>e</sup> siècle.*

des murs d'autrefois. Et elle est armaturée pour traverser plusieurs siècles de plus dans sa verdure. Chaque année, la fête locale réunit les voisins. Elle s'appelle « La Pierre en fête », tout un programme ! Le château est petit, et ne se visite qu'exceptionnellement. Mais une exposition libre permet de découvrir l'envers du décor et l'ampleur de la restauration.

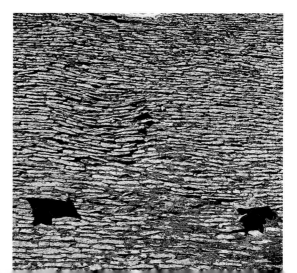

Beurrez chaque moule et
déposez au fond un peu de
cette crème de truffe, sur
laquelle vous cassez un œuf.
Ajoutez par-dessus encore un
peu de crème, puis mettez les
moules au bain-marie
frémissant.
Laissez cuire doucement pas
plus de 10 min.
Surveillez la cuisson.
Servez avec des tartines de
pain de campagne grillées.

## TOURTIÈRE
## PÉRIGOURDINE

INGRÉDIENTS :
Deux pâtes feuilletées, 1 kg de
salsifis, 2 confits de canard, 150 g
de chair à saucisse, 2 œufs,
de l'ail, du persil, sel et poivre.

## ŒUFS COCOTTE
## À LA CRÈME
## DE TRUFFE

Préparez un bain-marie
dans une plaque allant au four.
Versez de l'eau jusqu'à mi-hau-
teur de vos moules « cocotte ».
Il ne faut pas que l'eau en
ébullition passe sur les œufs.
Nettoyez une belle truffe et
hachez en menus morceaux.
Dans une petite casserole,
faites chauffer 5 cl de fine
armagnac. Mettez aussi un
petit pot de crème fraîche,
une pincée de sel et du poivre
à votre convenance.
Laissez bouillir 2 à 3 min, puis
ajoutez-y les hachures de truffe.

*La tourtière périgourdine,
et sa sauce aux cèpes.*

Il faut d'abord préparer la farce, que l'on disposera entre les deux pâtes feuilletées : mixez grossièrement le confit désossé, l'ail à votre goût, la chair à saucisse, les deux œufs, salez et poivrez à votre convenance.

Beurrez la tourtière. Et disposez-y la première pâte feuilletée, sur laquelle vous installez la farce et les salsifis préalablement cuits ; rabattez les bords de la pâte puis disposez la deuxième pâte feuilletée, rentrez les bords à l'intérieur de la tourtière. Badigeonnez au pinceau avec un mélange fait d'un jaune d'œuf délayé à l'eau ou au lait.

Faites une cheminée et faites cuire à four chaud de 30 à 40 min.

## LA SAUCE AUX CÈPES

*(Que l'on sert avec la tourtière périgourdine)*

Dans un quart de litre de fond de veau soit fait maison (dans ce cas, il faut du temps), soit lyophilisé (et c'est moins bon), ajoutez des cèpes grossièrement hachés et, au dernier moment, de la crème fraîche pour épaissir. Salez et poivrez.

## GIGOT LACYPIERRE

C'est ici un pays d'élevage de moutons. La foire aux moutons de Salignac-Eyvignes avait, autrefois, grande réputation. Préchauffez votre four, puis piquez votre gigot de quelques gousses d'ail épluchées. Disposez-le dans un plat à four, arrosez-le d'un peu d'huile, salez et poivrez. Comptez 15 min par livre de viande. Arrosez le gigot de temps en temps avec du bouillon. Dix minutes avant la fin, ajoutez des châtaignes préalablement cuites et épluchées. Arrosez encore avec un peu de bouillon, salez et poivrez encore.

*On connaît la pince à gigot, que l'on serre autour de l'os. Bien plus rares sont ces petites fourchettes à bécasse.*

moment de cuire. Comptez 15 min ou 20 min pas plus. Retournez le gâteau sur un moule et servez avec le jus du rôti ou du poulet que vous aurez préparé, découpé et rangé autour de votre gâteau de foies de volaille. »

## MILLASSOU PÉRIGOURDIN

« Un kilo de citrouille,
200 g de farine,
10 cuil. de sucre,
un œuf,
un bol de lait,
une cuillerée à soupe
de rhum et de la
levure. »

« Faire cuire d'une part la citrouille dans du lait, d'autre part, faire tiédir le bol de lait. Dans un récipient, verser la farine, le sucre, ajouter l'œuf en mélangeant et verser le lait tiède. Quand la citrouille est cuite, bien l'égoutter, l'écraser et l'ajouter au reste avec le rhum et la levure. Mettre ans un plat à gratin et faire cuire à four tiède. »

## GÂTEAU DE NOIX

« 100 g de noix hachées
assez finement,
125 g de sucre,
125 g de beurre,

Quand la cuisson est terminée, laissez reposer le gigot une dizaine de minutes avant de le découper. Servez les châtaignes à part.

*Le carnet de
la grand-mère maternelle
de madame Lebon*

## CHAMPIGNONS FARCIS

« Avoir de gros champignons bien nettoyés. Hacher les queues avec ail, persil, mie de pain et œuf dur. Saler, poivrer, farcir en formant dôme. Les faire revenir légère-ment dans une cocotte, couvrir et laisser cuire doucement 35 min. »

## GÂTEAU DE FOIE DE VOLAILLE

« Pour un foie de moyenne grosseur, il faut trois œufs, deux cuillerées de crème, du sel et du poivre, des épices, de l'ail râpé excessivement fin, pour mieux dire de l'eau d'ail. »

« Graissez un moule, posez un papier au fond. Pilez le foie, passez-le au tamis et mêlez-le à tous les ingrédients nommés 1 h ou 2 avant de mettre à cuire. Versez dans le moule au

125 g de farine,
deux ou trois œufs,
un paquet de levure.
Mélanger le sucre et les œufs
entiers. Puis y ajouter les noix,
ensuite le beurre fondu
et la farine.
Bien mélanger à nouveau.
Mettre dans un moule beurré
et mettre à four chaud,
mais pas trop,
pendant 1 h environ. »

## TARTE AU CITRON

« 50 g de jus de citron
et le faire chauffer.
Préparer à part deux jaunes
d'œufs et 100 g de sucre,
bien battre ce mélange
et ajouter le jus de citron.

Fouetter et rajouter 100 g
de beurre fondu hors du feu.
Verser sur une pâte brisée
préalablement cuite à blanc.
Battre les deux blancs d'œufs
en neige ferme
et ajouter 50 g de sucre glace.
Recouvrir la pâte avec
cet appareil et passer à four
doux au moins 30 min.
Vérifier la cuisson, que la
meringue ne brûle pas. Laisser
bien refroidir avant de servir. »

## TRUFFETTES

« 200 g de sucre,
200 g de beurre fin,
100 g de cacao,
trois jaunes d'œufs.
Faire fondre le sucre dans très
peu d'eau, ajouter le cacao

et remuer.
Ajouter le beurre un peu fondu
et y incorporer les trois jaunes
d'œufs.
Bien mélanger pour obtenir
une pâte homogène.
La mettre au frais pendant 24 h.
Former des boulettes que l'on
roulera dans du cacao sucré. »

## CONFITURE DE PRUNES VIOLETTES

« Porter les fruits au four
pour leur faire rendre tout
le jus possible, laisser déposer
celui-ci et tirer au clair.
Faire avec le sucre un sirop
qu'on fera cuire jusqu'à ce
qu'il prenne en gelée au
contact d'une surface froide.
Employer 500 g de sucre
pour 500 g de jus. »

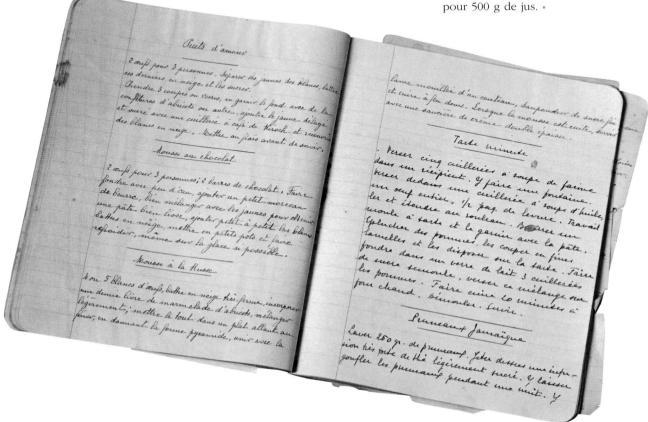

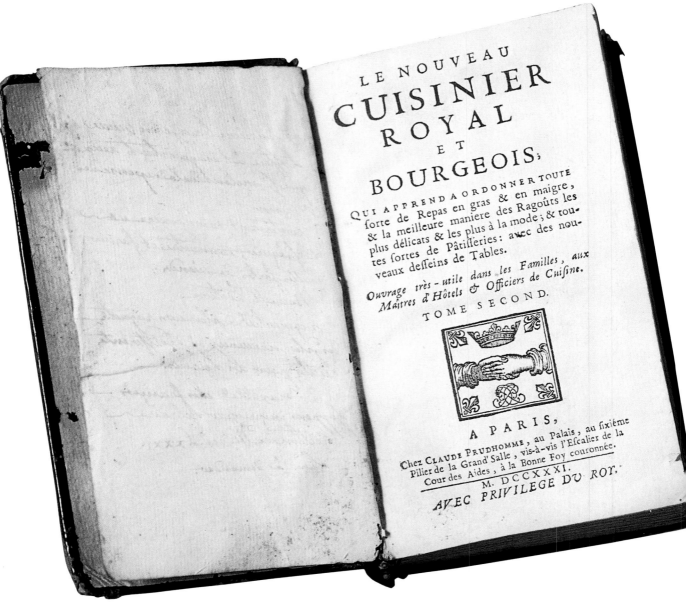

*Le Nouveau Cuisinier royal et bourgeois.*

*Dans cet ouvrage de 1731, souvenir de famille, on puise des recettes anciennes
et souvent savoureuses. À la lettre P, par exemple, on trouve 14 pains, 10 perdrix
et 22 pigeons, 111 potages et 4 poupetons, qui sont des paupiettes. En voici deux recettes
aux truffes, sans doute plus royales que bourgeoises.*

*Le cabécou « petite chèvre » est un petit fromage de chèvre que l'on fabrique dans le Quercy et le Rouergue. Le rocamadour ne vient que du Quercy. Mais ils sont faciles à reconnaître : le premier est épais et tout rond, alors que le second est un disque plat.*

et le dressez sur un plat, et jetez votre ragoût de truffes par-dessus et le servez chaudement pour entremets. L'on fait des croûtes aux truffes de la même manière que ceux aux mousserons *(sic).* »

## TRUFFES AU COURT-BOUILLON

« Les truffes étant bien nettoyées, mettez-les dans une petite marmite, les assaisonner de sel, poivre, d'un oignon piqué de clous, d'une feuille de laurier, quelques ciboules et du vin, et mettez-les à cuire : étant cuites, tirez-les et essuyez-les bien : les dresser sur une serviette pliée, et les servir chaudement. »

## PAIN AUX TRUFFES

« Le pain étant farci et frit de même que celui aux mousserons, faites un ragoût ; vos truffes étant bien pelées et lavées, coupez-les par tranches et mettez-les dans une casserole ; et mouillez-les d'un jus de veau, et laissez-les mitonner à petit feu ; étant cuites, les lier d'un coulis de veau et de jambon,

et assaisonnez de sel et de poivre ; mettez à mitonner un moment le pain, et le retirez,

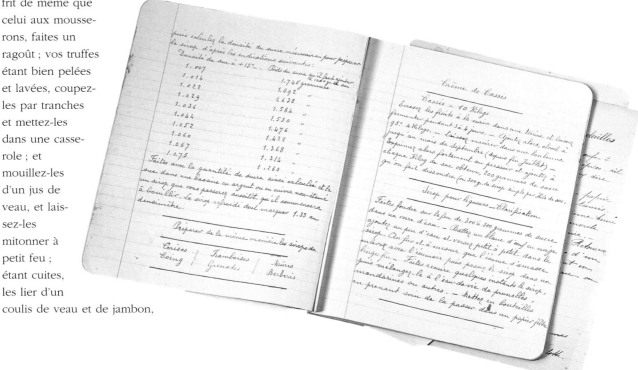

# LOSSE

## Sérénité périgourdine

Le très beau mobilier du château est des XVIe et XVIIe siècles.
La table de la salle à manger est anglaise. Chaises Louis XIII,
service en vieux Bruxelles du début XIXe siècle. La voûte supporte le lourd
pisé de l'étage. La date « 1576 » y est gravée en plomb, attestant de la fin
de la construction Renaissance par Jean II de Losse,
dont le blason orne la tour contiguë.

Jean II de Losse était précepteur d'Henri IV après avoir servi les fils de Catherine de Médicis. Gouverneur du Périgord et du Limousin, il fit reconstruire le château familial du XIIᵉ siècle au goût de la Renaissance : un château de plaisance sur la vallée de la Vézère. Il conserva cependant les ponts-levis, le grand châtelet et l'enceinte défensive, l'échauguette et les aménagements permettant d'utiliser les armes à feu. Derrière ces défenses, le logis est ouvert sur sa cour intérieure et bellement orné d'un grand portail et de corbeaux fleurdelisés. Une tour de l'enceinte abrite une chambre de repos avec son étuve, au milieu des oiseaux. La cour est fermée par les communs, le chai et la boucherie. La « basse-cour » est devenue un calme jardin de lavande et d'eau courante. Après avoir appartenu à la princesse Nhu May d'Annam, le château de Losse a été restauré dans sa pureté par Monsieur et Madame Van der Schueren. Et même remeublé avec le souci de suivre un inventaire de 1602. On découvre ainsi un coffre-fort médiéval de Nuremberg, un miroir de Venise, des sièges tendu de cuir de Cordoue, des tapisseries de Bruxelles, des armoires périgourdines, bref ce que l'Europe pouvait

*Le château de Losse est construit sur un belvédère naturel dominant la Vézère excellente position défensive.*

offrir de plus beau à un grand personnage de la Renaissance. Et, surtout, un portrait en cire du roi Henri IV, qui servit de modèle aux médailles à l'effigie du premier roi bourbon. La famille de Losse venait des Flandres, les Van der Schueren de Belgique : le château de Losse leur doit sa naissance et sa renaissance.

*Carrés de lavande de Mme Van der Schueren.*

# *Menu*

*La salade d'épinards aux œufs mollets*
*Poulet truffée fermière*
*La tarte au chocolat Julia*

## LA SALADE D'ÉPINARDS AUX ŒUFS MOLLETS

6 œufs moyens
ou 18 œufs de caille,
500 g d'épinards frais,
150 g de crème fraîche,
1 yaourt nature,
15 cl d'huile d'olive,
5 cl de vinaigre balsamique,
le jus d'un demi-citron,
1/2 cuil. à café de moutarde
de Dijon, ciboulette hachée fin,
fleur de sel de Guérande
et poivre du moulin.

Faire une vinaigrette légère
en mélangeant, à l'aide d'un
fouet, la moutarde avec le
vinaigre puis l'huile d'olive
en mince filet.
Lorsque la vinaigrette est
montée, ajouter le jus de
citron, sel et poivre ; réserver.
Mélanger la crème fraîche,
le yaourt et la moitié de la
ciboulette hachée ; réserver.
Retirer la côte centrale des
feuilles d'épinards, les hacher
en fines lanières et réserver
une belle feuille entière et
ronde par convive.

Dans une casserole d'eau
bouillante, à laquelle on aura
ajouté une cuillerée de
vinaigre blanc et ramenée
à léger frémissement,
pocher les œufs (3 min pour
un œuf de poule).
Pour ceux de caille, procéder
par trois œufs à la fois : à l'aide
d'une paire de ciseaux
de cuisine, ouvrir les coquilles
au-dessus d'une soucoupe,
et faire glisser les œufs
dans le liquide.
Pocher une minute.
Réserver sur un torchon fin, en
prenant soin, aussitôt qu'ils ont
perdu leur plus grande chaleur,
de couper les effilochures de
blanc qui peuvent se trouver.
Pour servir, dresser les épinards hachés sur des assiettes
froides avec la feuille ronde
au milieu.
Remplir cette feuille ronde
d'une ou deux cuillerées
de crème au yaourt, déposer
les œufs pochés et parés au
centre de la crème, saupoudrer
de ciboulette.
Au moment de servir, répartir
la vinaigrette sur les épinards.
Donner un tour de moulin
à poivre sur chaque assiette
et servir avec la fleur de sel
de Guérande.

## POULET TRUFFÉE FERMIÈRE

Un beau poulet de grain de
1,5 kg ou 2 kg – en réserver
les parures (pattes, cou, gésier
et pointes d'ailes), 100 g de
truffes fraîches au moins, 50 g
de beurre frais en pommade,
1 gousse d'ail pressée plus
6 gousses d'ail dans leur peau,
1 petit verre de persil haché
plus un petit bouquet de persil
en tige, 1 rameau d'estragon
haché, 50 g de graisse d'oie,
50 g de lard gras avec sa
couenne, Fleur de sel de
Guérande et poivre du moulin,
5 belles pommes de terre non
pelées et lavées, 1 gros oignon
piqué de deux clous de girofle,
2 carottes, 1 poireau.

La veille du jour où la volaille
doit être servie, couper les
truffes en tranches (1 mm
d'épaisseur). Avec les plus petits
morceaux (environ un quart de
la quantité en les écrasant avec
une fourchette), faire une farce
en les mélangeant avec le beurre, l'ail, l'estragon, le persil et
un peu de sel et poivre. Si on
dispose du foie de volaille, le
réduire en purée et l'ajouter.
Introduire ce mélange dans le
corps de la volaille, où il fondra
en cours de cuisson.
À l'aide d'un couteau pointu,
soulever la peau transparente
de la volaille et glisser les
tranches sous la peau, de façon
à créer une surface marbrée.
Enfermer la volaille d'un film
plastique et la laisser reposer

au frais 24 h, de façon à permettre à la truffe de répandre
son parfum.
Le jour où la volaille doit être
servie, porter deux litres d'eau
salée au goût à ébullition avec
un gros oignon piqué de clous
de girofle, les carottes coupées
en morceaux, le poireau, les
parures de poulet et le petit morceau de lard gras. Laisser cuire à
léger frémissement pendant
15 min. Plonger la volaille débar-
rassée de son film plastique dans
ce bouillon ; laisser frémir
15 min, ajouter les pommes de
terre, et reporter à ébullition.
Puis réserver hors du feu.
À ce moment retirer, la volaille
du bouillon, et la dresser dans
un plat à four en l'enduisant au
pinceau d'une très légère touche
de graisse d'oie, saler. Poser le
bouquet de persil sur le dessus,
le morceau de lard gras qui a
précuit dans le bouillon et les

gousses d'ail dans leur peau
autour. Cuire à four moyen
pendant 45 min ; puis ajouter
autour du poulet les pommes
de terre dans leur peau, coupées
en tranches d'un bon centimètre
d'épaisseur, les carottes
et le poireau.
Éventuellement, retourner le
poulet en vérifiant que sa surface n'est pas sèche (si besoin
redonner une légère touche de
graisse d'oie au pinceau).
Laisser cuire encore 45 min.
Sortir le plat du four, saupoudrer d'une bonne pincée de
poivre et le recouvrir d'un
papier d'aluminium bien
hermétiquement.
Laisser reposer à couvert
au moins trente minutes.
Au moment de passer à table,
découper le poulet sur un plat
chaud et servir le poulet truffé
entouré de ses légumes
et aromates.

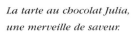

# Les recettes de madame Van der Schueren

*« Vous y détecterez*
*les influences anglaises de*
*ma jeunesse, quelques-unes de*
*mon mariage et, finalement,*
*celles d'une Périgourdine*
*d'adoption. »*

## RIS DE VEAU À LA MARÉCHALE

– Carottes, oignons, céleri,
50 g de jambon coupé menu,
100 g de beurre, un bouquet
de fines herbes, sel, poivre
Cuire tous ces ingrédients à
petit feu de 10 à 15 min, jusqu'à ce qu'ils soient tendres,
sans les brunir.
– Et 1 kg de ris de veau lavé
et nettoyé
Assaisonner les ris, les disposer
dans une poêle émaillée, arroser avec le beurre fondu et les
légumes, couvrir, cuire à petit
feu pendant 5 min. Tourner et
faire de même. Les ris rendront
pas mal de jus. Les transférer
dans un plat allant au four,
préalablement chauffé à 170°.
– 125 cl de vin blanc sec,
125 cl de bouillon de volaille
Verser dans la poêle contenant
les légumes et le jus des ris.
Réduire de moitié. Verser le
tout sur les ris, afin qu'ils
soient couverts ; porter à ébullition sur une plaque. Couvrir
et placer dans le bas du four,
et régler la température, afin
qu'ils mijotent pendant 45 min.

## LA TARTE AU CHOCOLAT JULIA

Le marché :
– pour la pâte sablée, il faut
250 g de farine, 190 g de beurre réduit en pommade lisse,
65 g de sucre glace, 1/2 œuf ;
– pour la garniture, il faut
250 g de chocolat amer (70 %
de cacao ou plus), 250 g de
beurre salé, 100 g de sucre
semoule, 3 œufs moyens ou
2 gros, 4 tasses de café fort.

« Préparer la pâte sablée, 1 h
au moins avant son utilisation,
afin qu'elle soit bien froide.
Ajouter le beurre en pommade
au sucre glace, puis l'œuf ;
ajouter la farine, afin de faire
une boule lisse. La mettre au
réfrigérateur.
Rouler la pâte, qui est très déli-
cate, à un 1/2 cm d'épaisseur,
et l'étendre sur un moule à
rebord, beurré et fariné. Laisser
reposer au froid 30 min, avant
de cuire à blanc.
Faire fondre le chocolat dans
une casserole placée au bain-
marie, ajouter le café fort, le
sucre et le beurre fondu ;
mélanger pour obtenir une
pâte.
Battre les œufs dans une jatte
creuse et les incorporer au
mélange chocolat, en les pas-
sant à travers un chinois. Le
mélange devient lisse, il doit
être tiède mais pas froid.
Verser l'appareil sur la pâte
cuite à blanc et cuire à four
moyen (180°) environ 15 min.
La cuisson se vérifie par la
consistance de la pâte chocolat, qui doit être un peu ferme
sur le dessus. »

– Ce plat peut attendre dans son jus refroidi jusqu'à la préparation ultime.

Trancher les ris et réserver.

Réduire le jus de cuisson à 250 cl.

Dans une casserole émaillée, cuire 60 g de beurre et 60 g de farine sans brunir, y ajouter hors du feu le jus de cuisson, battre vigoureusement pour obtenir un mélange homogène. Porter à ébullition en tournant pendant 1 min, la sauce sera très épaisse. Ajouter, en battant, 125 cl de crème, puis encore 125 cl petit à petit, à petite cuisson. La sauce sera plus liquide. Corriger l'assaisonnement et ajouter quelques gouttes de citron. Napper les ris. Décorer avec du persil ou d'autres fines herbes.

## MAGRETS DE CANARD AUX FIGUES

Trois gros magrets de canard, un décilitre de porto, un demi-décilitre de vin blanc sec, une cuillerée à café de miel, une cuillerée à dessert de vinaigre, 50 g de beurre, 2 dl de fond brun, quelques gouttes de jus de citron, 6 à 12 figues fraîches, sel et poivre.

Passer les magrets à la poêle chaude, côté gras d'abord, ensuite cuire à feu doux pendant six minutes, assaisonner et tourner pour faire de même selon la cuisson désirée. Réserver au chaud. Jeter la graisse de cuisson.

Déglacer les sucs avec le vinaigre, le vin blanc, le porto et le fond brun, et laisser réduire de moitié.

Pour la liaison, on peut prendre un peu de beurre manié.

Placer les figues dans un plat beurré allant au four, les entailler, les poivrer et les sucrer légèrement, les arroser de beurre fondu. Cuire approximativement 6 min à four chaud.

Découper les magrets, napper de sauce et entourer de figues.

## APPLE CRUMBLE D'ÉLISABETH

Pour 600 g de pommes pour la cuisson (genre belle de boskoop) : 15 dl d'eau citronnée, 800 g de farine, 250 g de beurre, 300 g de sucre.

Éplucher et couper les pommes en petits quartiers. Les placer dans un plat creux (pie dish) allant au four, arrosées du liquide.

Bien mélanger le beurre à la farine, à l'aide d'une fourchette et ajouter le sucre jusqu'à l'obtention d'un ensemble ressemblant à des miettes de pain. Parsemer ce mélange sur les pommes. Cuire au four à 170° pendant 1 h à 1 h 30.

## PAIN D'ÉPICES À L'ANCIENNE

250 g de farine, 150 g de sucre, une cuillerée à café de levure en poudre, une cuillerée de gingembre moulu, une demi-cuillerée de cannelle,

*Le café servi dans le labyrinthe des jardins.*

une pincée de noix de muscade, une pincée de sel, six
cuillerées à soupe d'eau, six
cuillerées à soupe de sirop
d'érable, quatre cuillerées à
soupe de beurre fondu.
Placer dans le bol du mixer la
farine, le sucre, la levure, le sel
et les épices. Ajouter le sirop
d'érable et ensuite le beurre
fondu.
Mélanger d'abord sur petite
vitesse, ensuite, au fur et à
mesure que s'incorporent les
ingrédients, augmenter celle-ci.
Lorsque le mélange est homogène, verser dans un moule rectangulaire beurré (20 x 30 cm).
Cuisson environ 30 min dans
un four à 170°.

## GRATIN DE POIRES
## AU GINGEMBRE

Un kilo de poires (selon saison),
quelques morceaux de gin-
gembre coupés menu, sucre
selon les goûts (de préférence
cassonade blonde), chapelure et
raisins secs. Faire fondre les
poires en compote (sucrer selon
son goût). Mixer. Si les fruits
rendent trop de jus, enlever, afin
d'avoir une compote consistante
et ajouter quelques raisins secs
pour absorber le liquide restant.
Parfumer avec des morceaux de
gingembre. Verser dans un plat
allant au four et à la table
(genre moule à tarte). Recouvrir
de chapelure, mélangée à un
peu de cassonade, et passer
rapidement à four très chaud ;
servir immédiatement.

*Danièle Mazet-Delpeuch est venue en voisine préparer sa grande cuisine périgourdine chez Mme Van der Schueren. Sur les causses de sa ferme de La Borderie, elle a appris enfant l'art du foie gras et des truffes, avant de le faire partager en organisant des stages. Puis deux ans aux fourneaux de la cuisine privée de l'Élysée et retour au pays, où elle cuisine parfois pour quelques gastronomes, comme à Losse. En complément du beau menu de Losse, voici quelques-unes de ses recettes tirées de son livre **Carnets de cuisine : du Périgord à l'Élysée**.*

### Les recettes
### de Danièle
### Mazet-Delpeuch

## LE FOIE GRAS
## AU VERJUS
## DE LA BORDERIE

Le marché : un beau foie gras
d'oie, 250 g d'échalotes grises,
du verjus.
À la fin du mois d'août, lorsque
les grains de raisin sont pleins,
mais qu'ils sont encore acides et
qu'ils n'ont pris aucun sucre, je
les ramasse et, en les pressant,
j'obtiens un jus acidulé que je
congèle dans les bacs à glaçons.
Oui, on l'utilise pour déglacer
les sauces et aciduler quelques
préparations traditionnelles.
Non, il ne peut se stériliser, car
il perd toute son originalité.
Mille fois non, il ne peut se
remplacer par du citron.
Oui, à la cuisson, il révèle son
goût de fruit de la vigne, tout
en gardant son originalité acide.
Non, ce n'est pas introuvable.

Oui, c'est une saveur d'une subtilité charmante. J'utilise la valeur d'un « glaçon » pour un poulet et d'un « demi-glaçon » pour une poêlée de cèpes frais. Les œufs frits du matin avec un filet de verjus, c'est comme le ragoût de haricots blancs avec des couennes confites, comme le hachis et le filet d'huile de noix que l'on ajoute dans son assiette.

Prendre un beau foie d'oie de qualité extra : beige rosé, mais pas rosé soutenu, ferme mais pas dur, amolli mais pas alangui. Découper le foie gras en tranches de 1 cm d'épaisseur et le poêler vivement à feu pas tout à fait vif. Puis le mettre en réserve sur un linge à l'entrée d'un four tiède. Vous disposez de 3 min. Enlever l'excès de graisse de la poêle (si le foie est bien choisi, il n'y en a pas) et faire revenir les échalotes hachées, sans cesser de les remuer avec une cuillère en bois. Retirer la poêle du feu et ajouter le filet de verjus. Dresser le foie gras sur un plat chaud et arroser avec le jus de cuisson.

## LES TRUFFES EN CROÛTE

« Le marché pour 6 personnes : 6 belles truffes, trois tranches fines de jambon de campagne, une petite boîte de foie gras de 250 g (facultatif mais très intéressant), un kilo de pâte feuilletée au beurre.

Le plus délicat de cette réalisation réside dans le fait de trouver les belles truffes. Il est préférable de faire les truffes en croûte à la belle saison, c'est-à-dire de janvier à mars. Découper un cercle de pâte feuilletée par truffe, de 12 à 14 cm de diamètre. Sur un demi-cercle, déposer une demi-tranche de jambon de campagne

(tartiner légèrement de foie gras si vous avez choisi la folie complète), déposer la truffe au milieu du demi-cercle, ajouter du poivre (pas de sel à cause du jambon) et refermer le chausson.

En humectant les bords, coller en pressant légèrement. Dresser sur une plaque et laisser reposer au réfrigérateur pas plus de 1 h. Mettre à four chaud et cuire pendant 35 à 40 min. Elles peuvent être accompagnées d'une sauce madère mais personnellement, je préfère les manger en croquant dans le chausson. Avec un bon petit médoc, elles constituent un goûter parfait après une grande balade en forêt. »

*Dans un grand « rafraîchissoir »*
*en cuivre florentin repoussé du XVIIᵉ siècle :*
*la cuvée des mille et un châteaux du Périgord.*

Cognac  Jarnac  Hiersac  Champniers  la Rochefoucauld  St Mathieu
St Sever  46  96  Ruelle  Montbron
Moncils  Bussac  Charente  ANGOULEME  Banrat  Bussière-Badil  Chal
illard  Segonzac  la Couronne  Nontron
Perignac  Châteauneuf  Mouthiers  Rougnac  Nontron
Pons  N  Niville  Charmont  S. Pardoux
RIEURE  Archiac  Villebois  Nizonne  -la-Rivière  Thivie
St Genis  Jonzac  Barberieux  Blanzac  -la-Valette  Mareuil-s-Belle  Exci
nozac  102  Montmoreau  Auriac  11  Champagnac  -de-Belair
Mirambeau  Baignes-St-Radegonde  St Severin  Brantôme  Vertoillac  Bourdelles  Savignac
as  Tugeras  Brossac  Montagrier  les Eglises
Ciers  Chevanceux  Chalais  Aubeterre  Drôme  Périgueux  Gurli
-la-bode  Montendre  -s-Dronne  Ribérac  Puvic  Niversac
Reignac  Montlieu  St Sulpice  8  Nanzac  St Pier
St Androny  Bussac  Montguyon  St Aulaye  St Astier  Villamblard  Vergt
Blaye  Roche-Chalais  Echourgnac  DORDOGN  Fleu
Pâté  St Savin  Cercoux  les Eglisottes  Crampse  Mauzens
Bourg  Casignac  Coutras  DORDOGN  Lussutan  St Avère
Marcenais  St Médard  10  Montpont  le Bug
Ambès  Guitres  Villefranche  St Georges  le Bug
Cobzac  St André  St Denis de Pile  -de-Lonchapt  la Foy-de-g
fort  Ambar  -de-Cubzac  Lussac  Pé  -Longas  Lalinde
Bousca  Loubès  Fronsac  r  Laforce  2
Carbon-Blanc  St Emilion  Libourne  Cadouin
Lormont  Castillon  Telines  Bergerac  Beaumont  5
BORDEAUX  Dordogne  Ste Foy  Bebv
Cegles  Entre  Branne  la Grande  3  Assigeac  Monpa
Creon  Puyols  Sigoulès  Biro
deux  Mers  Pellegrue  Eymet  Villreal
la Sauve  Sauveterre  Duras  Lauzun  Castillonnes  Sarete
Langoiran  Targon  Dordogne  Miramont  Caneon  Monflanquin
Rions  Arbis  Monségur  Seyches  Pastour  Monsenpron
Podensac  Cadillac  la Réole  Marmande  Castelmeron
Barsac  St Macaire  Monclar  Agenan  Cassoneuf  Villeneuve
Preignac  Langon  Ste Bazeille  Tonneins  Libruse  Pe
Villandreaut  Auros  Meilhan  Clairac  Montpezat
nphorien  Bazas  le Mas d'Agenais  Aiguillon  la Roque-Timba
uret  Préchac  Grignols  Bouglon  LOT-ET-GARONNE  Beauville
Sore  Casteljaloux  Damazan  Prayssas  Puymirol
Captieux  Port-Ste-Marie  le Passage
es  Landes  Houeilles  ater  Ascen
d'Albret  Lavardac  Calignac  Néra

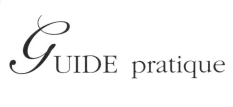

# GUIDE pratique

## des châteaux de Périgord

### 1. Château de Castelnaud

24250 CASTELNAUD-LA-CHAPELLE

*Classé MH*
*Adhérent : DH*
Visites : toute l'année visites libres,
guidées sur réservation
Autres activités : ateliers du patrimoine sur réservation,
parcours découverte, spectacle historique
et taverne en juillet-août, librairie du Moyen Age
*Propriétaire* : M. Kléber Rossillon
*Contact : 05 53 31 30 00*
*Fax : 05 53 28 94 94*

### 2. Château de Lanquais

24150 LANQUAIS

*Classé MH*
Visites : de mars à novembre
Autres activités : organisations de stage (peinture,
aquarelle, musique)
*Propriétaire* : Mme O. Bertaux
*Contact : 05 53 61 24 24*
*Fax : 05 53 73 20 72*

### 3. Château de Monbazillac

24240 MONBAZILLAC

*Classé MH - Adhérent VMF et DH*
Visites : de février à décembre
Autres activités : dégustation et vente de vins AOC,
salles de réunions, séminaires, restaurant
*Propriétaire* : cave coopérative de Monbazillac
*Chef du restaurant* : M. Ménanteau
*Contact : 05 53 63 65 00 (H. B)*
*et 05 53 61 52 52 (W-E.)*
*Fax : 05 53 63 65 09*

### 4. Château de Puymartin

24200 SARLAT-LA-CANÉDA

*Classé MH - Adhérent DH*
Visites : de Pâques à Toussaint
Autres activités : chambres d'hôtes au château
*Propriétaire* : M. Henri de Montbron
*Contact : 05 53 59 29 97*
*Fax : 05 53 29 87 52*

### 5. Château de Siorac

24170 SIORAC-EN-PÉRIGORD

Visites : de Paques à Octobre, guidées sur rendez-vous
Autres activités : café, salon de thé
*Propriétaire* : M. et Mme Charles Jacoupy
*Contact : tél : 05 53 31 63 69*
*Fax : 05 53 59 40 27*

### 6. Château de Jumilhac

24630 JUMILHAC-LE-GRAND

*Classé MH - Adhérent DH*
Visites : de juin à septembre, nocturne mardi et jeudi, les
week-ends du 15/3 au 15/11
Autres activités : réceptions, expositions, théatre
*Propriétaire* : M. Henri de La Tour du Pin
*Contact : 05 53 52 42 97*
*Tél : 05 53 52 58 62 - Fax : 05 53 52 42 97*

## 7. Jardins d'Eyrignac
24590 SALIGNAC

*Classé ISMH*
*Adhérent VMF et DH*
Visites : les jardins toute l'année,
le manoir sur rendez-vous
Autres activités : restaurant,
locations de salles
*Propriétaire :*
M. Patrick Sermadiras de Pouzols de Lile
*Contact : 05 53 28 99 71*
*Fax : 05 53 30 39 89*

## 8. Château de Grignols
24110 GRIGNOLS

*Classé I.S.M.H*
*Adhérent VMF et DH*
Visites : du 1er juillet au 31 août
Autres activités :
théâtre et concert dans la courtine intérieure
*Propriétaire :* M. Jan Hoornweg
*Contact : 06 82 43 96 64*

## 9. Hôtel de Gérard
24200 SARLAT-LA-CANÉDA

*Classé ISMH*
*Adhérent VMF et DH*
Ouvert du 15 juin au 15 septembre
Autres activités :
expositions artistiques, location de salons, terrasse
*Propriétaire :* M. et Mme Guy de Gérard du Barry
Contact : 05 53 59 57 97

## 10. Château de Montréal
24400 ISSAC

*Classé MH*
*Adhérent VMF et DH*
Visites : du 1er juillet au 30 septembre tous les jours de
9 h 30 à 12 h 30 et de 14 h 30 à 18 h 30
Tous les jours de l'année pour les groupes sur réservation, tous les dimanches à partir de Pâques

*Propriétaire :* M. Bernard de Montferrand
*Contact : 05 53 81 11 03*
*Fax : 05 53 81 11 03*

*Abréviations*
*MH :* Monument Historique
*ISMH :* Inventaire Supplémentaire des Monuments Historiques
*VMF :* Vieilles Maisons Française
*DH :* La Demeure Historique

## 11. Château de Richemont
24310 SAINT-CRÉPIN-DE-RICHEMONT

*Classé ISMH*
*Adhérent DH*
Visites : du 15 juillet au 31 août, visite commentée intérieure et extérieure, chapelle funéraire (tombeau de
Pierre de Bourdeilles dit Brantôme)
*Propriétaire :* famille de Traversay
*Contact : tél : 05 53 05 72 81*
*Fax : idem du 1er juillet au 31 août*

## 12. Château de Lacypierre
24590 SAINT-CRÉPIN-ET-CARLUCET

*Classé ISMH*
*Adhérent VMF et DH*
Visites : de Pâques à Toussaint
*Propriétaire :* M. et Mme Lebon
*Contact : tél : 05 53 59 29 41*
*Fax : 05 53 31 26 83*

## 13. Château de Losse
24290 THONAC

*Classé MH*
*Adhérent VMF et DH*
Visites : de Pâques au 30 septembre
Autres activités : tournages de films, locations de lieu
pour évènement promotionnel
*Propriétaire :* privé
*Contact : tél./fax : 05 53 50 80 08*

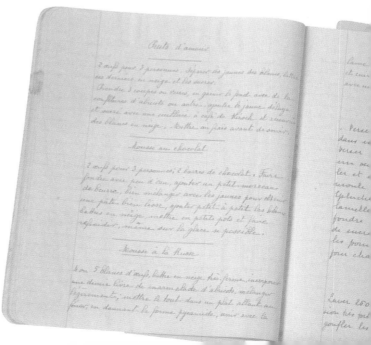

# $\mathcal{I}$NDEX des recettes (Table)

**CONCEPTION GRAPHIQUE**

**Brigitte Racine**

© 2000 - Édilarge SA - Éditions Ouest-France, Rennes

Achevé d'imprimer en mars 2000 par l'Imprimerie Mame à Tours (37)

I.S.B.N. 2.7373.2514.5 - Dépôt légal : mars 2000

N° éditeur : 3902.01.07.03.00